一流のエンジニアは、「カタカナ」を使わない！

飛躍する技術者の8つの条件

エンジニア育成コンサルタント
片桐あい
Ai Katagiri

JN100115

さくら舎

まえがき ～一流のエンジニアと二流のエンジニアの違いとは～

はじめまして。カスタマーズ・ファースト株式会社代表の片桐あいです。本書を手に取っていただき、ありがとうございます。

この本は、エンジニア・技術者などと言われる自分の持っている技術を使って仕事をしている方々に向けて書いています。

私自身は技術職ではなく、エンジニア育成や人間関係問題解決のコンサルタントであり、広く人材育成のプロフェッショナルです。

ＪＵＫＩ株式会社という工業用ミシンの会社内の総合技術研究所や、外資系ＩＴ企業の日本オラクル株式会社（旧サン・マイクロシステムズ株式会社）のサポート・サービス部門などで30年以上にわたり、エンジニアとともに仕事をしてきました。

この会社には23年間勤務し、２００９年から「キャリアディベロップメント&トレーニング」という部署を立ち上げ、延べ１５００名のエンジニアの育成に携わりました。

また、グローバルのプロジェクトで「エンジニアのトレーニングの開発」のためのメンバーに選出され、各国の教育担当とカリキュラムを開発してきました。企業研修講師として独立後も、お客様の８割は技術系の会社です。

いつも会社の宝としてのエンジニアたちを憧れと敬愛の目で見ておりましたが、そんな常に身近にいた技術者を観察してきて、正直、エンジニアにも一流のエンジニアと二流のエンジニア（二流といっても技術的優劣の意味合いではありません）がいるとわかりました。

そして両者にどんな違いがあるのかにも気づきました。

多くのエンジニアと長年働き、エンジニアを含め2万5000名の人材育成に携わってきた私の経験を基に、一流のエンジニアと二流のエンジニアは具体的にどこが違うのか、一流のエンジニアになるためにはどんなことが必要か、本書でそのエッセンスをお伝えしていきます。

本題に入る前に、まずは私が研修で受講生にしていただいているワークの1つをご紹介いたします。

【ワーク】目をつぶって階段を降りる

▼ワークのやり方

●2人1組で階段を降りるワークです。

●1人（Aさん）は目をつぶり、もう1人（Bさん）は安全にパートナーを導きます。

●階段は上から下へ、踊り場を経由して1階分降ります。

●終了後は、役割を交代して再度実施します。

●振り返りのポイントを共有します。

ワークを実施した後に、以下のポイントで「振り返り」を実施します。

▼ワークの感想を共有

▼ワーク体験から仕事に活用できる学び

なぜ、私はこんな危険なワークを、あえて受講者にやってもらっているのでしょうか？

それは、身体を使って、体感してもらい、さらに、感情を動かすためです。

エンジニアは、座って頭脳を使って仕事をしている時間が長く、気づけばずっと同じ姿勢で仕事をしています。

最近では、立って仕事ができる机を導入する会社や、椅子の代わりにストレッチボールに座る会社も増えてきています。

しかし、まだまだ忙しく動いているのは頭脳です。そこで研修は、なるべく日常の環境とは切り離して受けてもらいたいので、多少身体を使ってもらう工夫をしています。

また、感情については仕事中に多少の起伏はあるでしょう。研修の中では、あえて感情に波を立てるような経験をしてもらっています。

なぜなら、感情が動くと記憶に残りやすいからです。たとえば、すごく恥ずかしい思いをしたことや腹が立ったことはいつまでも記憶に残ります。

だから、怖い思い、不安な気持ちになっていただくために、目をつぶって階段を降りるということをやってもらっているのです。

ワークで起きることは、すべて現場の縮図である

振り返りの中では、まず、「役割」について考えてもらいます。

Aさん：目をつぶって階段を降りる人は、業務の中では誰をイメージしたか？

Bさん：Aさんを安全に下まで降ろす人は、業務の中では誰をイメージしたか？

大概の受講者は、Aさんを顧客、そしてBさんをエンジニアとイメージして振り返りをします。これを、上司（先輩）と部下（後輩）と考える人もいます。

次に実際に体験したことを振り返っていただきますが、Aさん・Bさんそれぞれの立場で感じたことを共有します。

「もっとこうしてほしかった」「こうすればよかった」と語り出します。そして、さらに

出てきた振り返りの内容を、実際の業務にひもづけて考えてもらいます。

するると、**ワーク中に起きていたことは、日頃の自分の思考の癖や人との関わり方の表れだと気づく**のです。つまり、このワークが、現場の縮図であるということがわかってきます。


他にも、振り返りのポイントとして、たとえば、手すりがあるのに手すりを使わない人は、マニュアルがあるのに読まない人。

段数を数え間違えて混乱を招く人は、ケアレスミスが多く情報が正しく伝えられない人。

また、相手の前に立つ人もいれば、横で手を取る人もいるし、中には後ろ向きに降ろそうとする人もいます。

それぞれ、相手のために良かれと思ってやっているのでしょうが、相手の許可を取る人、どうしてほしいのかを尋ねる人はほとんどいません。


ワークからの考察で、受講者を大きく分類すると、以下のようになります。
①言われたことを言われたからと工夫なくやる人。
②自分のやり方を疑いもせずに実行する人。
③自分が相手の立場に立ったときに思うことを実行する人。

④相手がどうしてほしいのかを先に聞いてから実行する人。

ワークでは、相手の安全に関わる責任を負っているため①はほとんどいません。観察をしていると、②③が大部分を占めています。

そして、言うまでもなく、④ができる人が一流のエンジニアに求められる要素を持っている人です。

あなたの評価は、第一印象で決まる！

多くの企業が、顧客満足度調査をしています。自分たちの提供したサービスがどれだけ顧客の役に立てているのか？　いくつかの指標の基に調査を行います。

その結果に対して、受け入れて改善できる人と、扱った件が不運だった・組織が悪いなどと他責にする人がいます。

当然ですが、**結果を正面から受け止めて改善ができる人は成長速度も速く、同じ指摘は二度とされません。**

一方、他責傾向の強い人はどこまでいっても他責なので、自分が変わらなくてもいい理由を並べ立てます。その結果、当たり前ですが、同じ指摘を何度ももらい、自分と組織の評判を下げます。

そして、その**評価の大部分は、じつはエンジニアの第一印象（電話であれば第一声、メールであれば挨拶文）で決まります。**

顧客心理を決めるのは一瞬です。長くても15秒間。そこで、顧客は「ああ、当たりのエンジニアでよかった！」と思うか、「うわ、外れのエンジニアだ！　参ったな」と思うわけです。そして、マイナスの印象をひっくり返すためには相当の苦労が伴います。

一流のエンジニアが持っている2つの力

30年以上、数々のエンジニアを見てきて思うのは、一流のエンジニアと二流のエンジニアの違いは、「顧客心理推察力」と「状況察知力」という2つの力を持っているかどうかです。

「顧客心理推察力」とは、顧客（すべての利害関係者）の心理を推察する力、「状況察知力」とは、相手の状況がどうなっているのかを察知する力のことです。

二流のエンジニアは、顧客の感情やビジネスの状況には興味がありません。だからこそ、

そこにはエンジニアとして差別化できるチャンスがあるのです。

もちろん、求められている技術レベルを持っていることは前提です。

さて、私がいた外資系ＩＴ企業では、年中行事のようにリストラがありました。自ら新たなチャンスを見つけて羽ばたく人もいれば、必死に今の仕事にしがみつこうとするエンジニアもいました。

どちらのキャリアの選択がいいかはその人次第ですが、大切なのは、自分が納得してそのキャリアを選ぶ立場にいるということです。

つまり、転職したければ希望通りの転職ができるほど自分の市場価値を高められているか？　転職先から自分が納得いくオファーがもらえるか？

もしくは、社内に残るのであれば、「会社から必要だ！　辞めてもらっては困る！」と引き留められるか？

さらに、副業で稼げるか？　など、自分がそれを主体的に決められるだけの実力がなければなりません。

私は、30年以上の職業人生を技術者とともにすごしてきました。私自身は技術者ではなかったため、客観的にエンジニアたちを分析することができました。

そして、その知識と経験、そして研修講師としてのノウハウを惜しみなくお伝えしようと思っています。

なぜなら、日本のエンジニアを世界に誇れる一流のエンジニアに育てたいと思っているからです。

また、技術力が高くても「顧客心理推察力」と「状況察知力」という2つの力が低いことで、思うような成果を出せていないエンジニアを救いたいと思っています。

本書に書いてあることを日々意識し、簡単なスキルを使っていくだけで、確実に周囲との関係性が変わります。

その結果、自分自身の価値が高まり、自他ともに認める一流のエンジニアとして世界中で活躍する人へと成長できることでしょう。

２０２０年３月吉日

片桐あい

目次◆一流のエンジニアは、「カタカナ」を使わない！
――飛躍する技術者の8つの条件

第2章

一流のエンジニアは、「技術以外の仕事」を率先してやる

第3章 一流のエンジニアは、「顧客の問題解決」を最優先に考える

第4章

一流のエンジニアは、「情報収集力」に長けている

第5章

一流のエンジニアは、「顧客心理推察力と状況察知力」が高い

第6章

一流のエンジニアは、「顧客目線」で言葉を使い分ける

第7章 一流のエンジニアは、キャリアアップしながらチームを大事にする

第8章 一流のエンジニアは、困難に打ち勝つ「感情・思考・身体」のセルフマネジメント力が高い

あとがき　216

一流のエンジニアは、「カタカナ」を使わない！

――飛躍する技術者の8つの条件

第1章

一流のエンジニアは、「起業家精神」を持ち合わせている

解説

二流のエンジニアは自分の技術力を磨き、自分が人よりも技術的に優れていることを目指します。しかし、自分の技術が高いことよりも大切なものがあることに気づいていない人がほとんど。

一流のエンジニアは、常に自分の価値を高め、チームの価値を高める「起業家精神」を持っているのです。

価値は常に顧客が決めます。そして、顧客とは、クライアント・エンドユーザーなどの外部顧客だけでなく、他部署・上司など後工程の人たちを含めたすべての関係者を指すのです。

本章では、**相手の期待や利害関係がぶつかる人たちとの調整能力が高まり、全員の満足を得る仕事ができるようになるための考え方を学びます。**

これからのエンジニアに必要な「起業家精神」というスキル

「起業家精神＝アントレプレナーシップ」という言葉を聞いたことがありますか？　新しく事業を起こすために持っているべき考え方や態度、そして行動を起こす動機を持っていることです。

そして、この**起業家精神が、一流のエンジニアになるためには、とっても必要なスキル**なのです。

二流のエンジニアは、職人化するエンジニアです。確かにその分野については誰にも負けない技術がある人も、それがお客様の問題を解決できなければ意味がありません。

また、その技術でお金を産み出さなければ、事業としては成り立ちません。もちろん、企業内の研究開発部門の先行研究をしている方々は除きますが。

一般的な企業内エンジニア・技術者と言われている人たちであれば、起業家精神を持っていることで他のエンジニアとは明らかに差別化できるわけです。

たとえば、この技術は他の製品にも使えないか？　もっと生産性の高いやり方はないだろうか？　自分と同じことができる人を増やせば、企業としての競争力が上がるのではないか？　などと、広い視野でものごとが見られるエンジニアは希少です。だからこそ意味があり、価値があるのです。

しかし、実際には、自身の興味のある分野の仕事ばかりに没頭し、自分の技術を磨くことばかりに時間を使い、自分の技術を抱え込むエンジニアが多いのはとても残念なことです。

かつては人員に余裕があり、ひとり数台のパソコンを与えられ、周辺機器や検証機器も数多くあったため、一日中検証に時間を費やすこともできていました。

また、トラブルがあった場合には、力を発揮するのですが、担当製品以外は手を出さない人もいました。

たとえば、障害対応のエンジニアだと、その機器についての問い合わせが年に一度きりであれば、一度のバッターボックスに立つのに数千万円という給料をもらっているような人もいました。まったく生産性の低い仕事をしてきているのです。

しかし、技術の職人は、ＡＩに取って代わられる時代に突入しています。これまでのような技術一辺倒のエンジニアでは、生き残ることは難しいでしょう。

これからは、ビジネス志向が強く起業家精神を持つことで、自分の技術をどうしたらお金に変えることができるのか？　顧客の求めているものは具体的に何か？　新しい技術の習得のために何をすればいいのか？　後進の育成のために自分にできることは何か？　などという問いが生まれ、新たなビジネスチャンスを見つけることができるでしょう。

その問いを持って日々すごせるかどうかが、一流のエンジニアとそうではないエンジニアを分けるのです。

私の研修の中では、必ず、その企業のホームページから企業理念やトップからのメッセージを改めて見返す時間を取ります。そして、行動指針なども参考にしてもらいながら、自分のありたい姿を明確にしていきます。

いったん入社してしまうと、自分の会社のホームページを見る機会が減ります。ですから、改めて、会社が何を大切にしているのか？　トップはどんな考えを持ってこの会社を運営しているのか？　それを感じとってもらい、自分がその立場であれば何を考え、行動するのかを考えてもらいます。そして、それが、起業家精神を育てることにつながるのです。

ビジネスパーソンとしてのありたい姿を明確にすることから始める

一流のエンジニアになるためには、「自分は何が大切だと思っているのか、将来どうなっていきたいのかというビジョン」を持つことが大切です。

そのためには、**管理職・上位エンジニア・プロジェクトマネージャの3つに分け、どの方向性に行きたいのかを具体的に考える**ことです。

最近では、エンジニアのキャリア研修も増えてきています。また、キャリアコンサルティングも実施することがありますが、みな一様に不安を口にします。特に、AIが導入されると、今いるエンジニアの仕事がどんどんAIに置き換わっていくため、どうしたらいいかがわからないのです。

AIに取って代わられない仕事にシフトしていくためには、将来どうしていきたいかを早いうちから考えて、シフトチェンジする準備をしておく必要があります。

研修やコンサルティングの中で、考えていただくのは、大雑把な区分けですが、管理職・上位エンジニア・プロジェクトマネージャなど、その企業の中で設定しているキャリアの方向性（キャリアパス）をあげて、具体的にイメージしてもらっています。

最近の傾向は、**管理職を目指す人は極端に少なくなりました。**理由としては、結局プレイングマネージャとして自分の仕事をしながら部下の面倒を見ることが、収入の割には大変だと思っている人が多いからでしょう。

また、どこの会社の管理職も相当疲れています。なかには活き活きと仕事をしているマネージャもいますが、「忙しい」「大変だ」と悲壮な顔で仕事をしている上司のようになりたくはないと思うのが本音かもしれません。

しかし、ここを越えていかなければ、その上の役職はあり得ないので、管理職でもさらに上のポジションを狙う人は、**早いうちから後輩の面倒を見る育成力を養う**必要があります。

上位エンジニアを目指す場合には、やはり「英語」を身につけておいたほうが有利です。日系企業ももちろん取引先としてありますが、海外ベンダーとの連携はこの先も多くなるでしょう。

上位にいけばいくほど、英語で交渉する場合もありますし、開発者とのやりとりなどは英語を使う場合も多いのです。また、将来の転職に備えても英語が使えたほうが圧倒的に有利です。

また、プロジェクトマネージャを目指す人も少なくないですが、**プロジェクトマネージャになるためには、エンジニアが苦手とする「対人コミュニケーション能力」**が必要です。直接部下を管理する管理職よりも、プロジェクトマネージャは、直属ではない人を動かすことが多いため、圧倒的なコミュニケーション能力が必要なのです。

しかし、スケジュール管理や調整など全体を見て足りていないところ、遅れているところを指示することを経験するのは様々な能力が鍛えられます。

結果的に、何を選ぶにしても楽な道はありません。しかし、**自分がどの道を選択したいのかを仮置きでも決めたほうが、より具体的な情報が得やすい**でしょう。つまり、「私は管理職を目指してみたい」と思えば、管理職をしている人から学べることがたくさんあるはずです。

また、**やってみたい職種について周囲の人に伝えておくことで、そのチャンスが得られる**こともあります。

具体的な事例として、新入社員として入ったときから、管理職を目指すと言っていたエンジニアは、やはり最速で管理職に上がっていきました。また、海外で開発エンジニアになりたいと言っていた人も、そのチャンスを見つけて海外へ飛び立っていきました。

自分の道を仮置きでも決めて、それを周囲に伝えれば、誰かからチャンスが舞い込んでくるかもしれませんし、自分自身も目指す姿に向けて頑張るエネルギーが湧いてきます。

「誰を顧客と捉えるか」によって、働き方が変わる

あなたにとって顧客とは誰ですか？　エンドユーザー、クライアント、パートナー企業、ベンダー、取引先の企業、関連会社、グループ企業、様々な社外の顧客がいることでしょう。

直接、顧客と接する人もいれば、いわゆる顧客の顔が見えない状態で日々仕事をしている人もいると思います。

最近では、分業化が進んでいるため、実際に顧客の顔を見て話をする機会があるエンジニアのほうが少ないかもしれません。

一方では、技術レベルの差で、いくつかのグループにエンジニアの役割を分けて管理されている会社もあります。その場合、技術レベルが低いエンジニアやキャリアの浅いエンジニアは、顧客対応をメインにする、技術レベルが高いエンジニアやキャリアが長いエン

ジニアは、技術レベルが低いエンジニアの相談（エスカレーション）役として存在する体制が主流でした。

しかし、**今は、技術レベルが低いエンジニアだけではなく、上位職の技術レベルが高いエンジニアも、顧客対応に駆り出されるようになってきています。**ビジネスの速度をより加速させるためにも、技術に詳しいエンジニアを最前線に出す体制が組まれることが多くなりました。

というのは、**顧客との打ち合わせで、「できる・できない」を即判断し、「できるならどんな方法があるのか。できないなら別の方法はないか」を、その場で提案していくことが求められている**からです。

その変化により、現場に何が起きているかというと、今までとは求められるスキルが変わってきているわけです。たとえば、これまで上位職エンジニアは、下位エンジニアとだけ技術的な会話をしていればよかったのです。

しかし今後は、**「技術のことをよく知らない顧客にわかりやすく説明をする」**必要が出てきました。

また、**「顧客の業界や彼らのビジネスについても理解したうえで、顧客の困っているこ**

とを解決していくというスキルが必要」になってくるわけです。

今まで、技術を磨くことに優先順位を置いていたエンジニアからすると、苦手な分野に取り組まなければならないこともあり、苦労をするエンジニアも多いのです。

また、社内顧客と仕事をする機会が多いエンジニアも、組織はより複雑になり、雇用形態も様々な人々と仕事をすることになります。

また、同じ会社でもオフィスの場所が離れていることもあります、在宅勤務の場合もありますし、さらには海外のエンジニアとのやりとりをすることも増えてくることでしょう。

そこで必要になってくるのは、「**卓越したコミュニケーション能力**」です。対面で話をする機会も電話で話す機会も減って、メールやチャット、オンラインツール上でのやりとりも増えていきます。

そのような環境で、最適なコミュニケーションのツールを使って意思疎通を図ることも、自分のスキルとして磨いていく必要があります。

あなたの仕事で関わるすべての人を顧客と考え、接することで、これからお伝えする一流のエンジニアに必要なスキルが磨かれていきます。

エンジニアとしての適切な「自信」を身につける

あなたは、一流のエンジニアとしての「自信」を持っていますか？

自信とは、自分自身を信じる力です。何があってもどんなことが起きても、**自分を信じ仲間を信じて、顧客（あなたの仕事で関わるすべての人）の問題解決のために尽力することを繰り返す**ことで、あなたの中に適切な自信が湧いてきます。


技術力が高いだけでは、一流のエンジニアとしての適切な自信は身につきません。また、誰かよりも何かを深く・広く知っているなどというプライドは必要ありません。

その**知識やスキルを顧客のためにどう使うか、また、相手のために使ってどう役立てられるのか、一流のエンジニアはそれを自信の根源にしていく**のです。

たとえば、サポートエンジニアという保守業務を担当するエンジニアであれば、自分がつくったシステムではないものの障害対応を請け負うチームがあります。私はそこに23年間いました。

障害対応というのは、いつもマイナススタートです。お客様はいつも困っている・焦っている・怒っているなどというネガティブな感情を持ったまま、コールセンターに電話やメールをしてきます。

24時間３６５日、安定運用が求められているシステムに障害が発生すれば、顧客にネガティブな感情が湧くことも理解できます。たとえば、社会インフラに使用されているようなシステムの場合には、早急に問題を片付けなければ翌朝の新聞の一面を飾ることになります。

そのような状況で、コールセンターへ連絡をくれるわけなので、怒っていたとしても心情的には理解できます。しかし、二流のエンジニアは、とにかく自分たちに非がないことを証明しようという目線で質問をします。結果、腰が引けた対応に嫌気がさしたお客様からの怒りが増幅することになります。

一流のエンジニアは、どちらが悪いかという話ではなく、相手の困った状況に寄り添いながら話を聞き、自分がお客様の問題解決を最優先にすることを伝えます。

そのためにお客様にも協力をしてもらうことがあることを伝え、お客様と自分たちが同じチームとして協働していくという姿勢を伝えます。それを聞いたお客様は安心して、情報を開示してくれるのです。

トラブルの初動でうまくいかないのは、「うちの会社は悪くない、あなたの使い方が悪いんでしょ」とか、「うちに非があるかもしれないので、なるべく問題を大きくしたくない」などという、保身の感情が先に立って、それが言葉の端々に出ることです。

そうなると、構図として対立関係になるため、情報のやりとりがうまくいかず、障害は解決したとしても、後々、顧客満足度の低い対応という評価を受けることになります。

保身に走ってしまう原因としては、「聞かれたことに対して十分な知識やスキルがない」「自社として100%正しい情報が揃っていない」「質問に対して、これが正しいと言い切れない」「うまくいかなかったときに、責任が持てない」などの状況があるでしょう。

つまり、**エンジニアとしての能力の不足という個人の問題と、製品・サービス自体の社内の問題の2つがあります。**

個人の問題については、技術的なスキルや問題解決力、コミュニケーション力などを上げるしかありません（ヒューマンスキルの向上については第2章以降でお伝えします）。もし、どうにもならないような場合には、担当替えもあるでしょう。

厄介なのが、社内の問題です。製品やサービス自体に不備がある場合です。何をどこまで情報を開示していいのか？　してはいけないのか？　など、顧客への対応を誤ると企業として命取りになり兼ねないことがあります。

たとえば、ハードウェアでは異臭や発煙などの障害については優先順位を上げて最優先で対応しますが、その場合の対応については非常にセンシティブに扱うべきことです。ソフトウェアであっても、情報漏洩のリスクがあるような場合には、同じく優先順位を上げて対応します。

これらの重大障害などについては、あらかじめ起き得る可能性を想定して社としてのマニュアルを整備しておくことが大切です。

また、一エンジニアでは手に負えないと判断した場合には、速やかにエスカレーション（上司や上位エンジニアへの相談）をします。

トラブル対応を通じて、エンジニアとしての自信をつけるためには、自身の成長と社内の体制やルールを知ることです。

製品・サービスの不備については、社の方針を理解しておくなど、問題が起きる前からの準備が必要なのです。

そこができていれば、不用意に保身に走るような言動も出てきません。自分が成長することでできることを増やし、職場の仲間を信じることで結果的には自分にとっての適切な自信を身につけ、活躍できるエンジニアになっていきます。

一番いけないのは、顧客からの問い合わせに対して不誠実にはぐらかそうとしたり、とりあえず質問に質問で返すような対応です。

人は、逃げると追いたくなるものです。「まずい、わからない」「面倒くさい質問」「専門外の問い合わせがきた」と思ったときほど、相手の状況を丁寧に聞きましょう。

相手がなぜそのような質問をしてきているのか、その背景がわかれば、相手の真意がわかります。

重箱の隅を突くような質問をしてくる場合には、そもそも自社と信頼関係が築けていない場合もあります。また、過去のやりとりで嫌な思いをしたなど、相手にとって不安要素を抱えている可能性もあります。

相手の質問の裏側にある背景を聞き出すことにより、なぜそんなことを質問してきたのかが理解できます。それにより、相手の本来聞きたかった情報について、提供ができるかもしれません。

【背景を聞き出す例】

●よろしければ、ご質問の背景についてお聞かせいただけますか?
●具体的に、どのようなことでお困りなのでしょうか?
●お差し支えなければ、どうだったらいいのか、理想の状態について教えていただけますか？

相手に踏み込んだ質問をする場合には、多少勇気がいるかもしれませんが、一問一答でのやりとりでは、結局時間がかかり本質的な問題にいきつくまでに時間がかかりすぎることがあります。

また、自分に自信がないと、聞いたのはいいけれど答えられないということもあるでしょう。いきなり困難な場面での質問は難しいと思うので、日頃から本質的なことを聞く質問には慣れておくことです。実際には、本書の第4章・第5章で詳しくお話しします。

顧客から得た情報量が多ければ、こちら側で判断するための材料も増えます。詳細を聞いてしまうと、「相手に過度な期待をされてしまうかもしれない」と思う人もいるかもしれませんが、エンジニアが一人で解決するのではなく、お客様と一緒に解決していくために必要な情報であることを伝えてください。

そして、問題は一人で抱え込むのではなく、自分が頼りにできるエスカレーション先（上司、上位エンジニア、開発者、メーカーの問い合わせ先、コミュニティなど）を複数持っておくことが大切です。

まとめると、エンジニアとしての適切な自信を育てるために大切なことは2つあります。

まず1つ目は、「知らないことがあるのは当たり前、常に自分の知らないことを他者から学び続ける姿勢」が必要です。

しかし、日々最新の技術が生まれているこの業界には、知らないことがないという状態はあり得ません。知らないことがあっても当たり前ですし、ましてやユーザーとしてのお客様が、あなたの製品やサービスを通して何を成し遂げたいと思っているのかという目的は聞かなければわかりません。

ですから、「常にエンジニアが優位に立って教えてあげる立場」だという薄っぺらなプライドは捨てて、お客様に教えていただく場合もあると思っていてください。

2つ目は、「いざというときに頼れる人や組織をどれだけ持っているか」です。

これは、一朝一夕にはできません。日頃から、自分も誰かのピンチのときには助けたり、常に学んだことや調べたことを共有したりすることで育まれます。

「技術は抱え込まずに、人に伝えてこそ価値がある」ということを心に刻み、自分が困ったときに助けてもらえる状態を意識してつくっておくことです。

チャンスを自分のものにするための考え方を知る

この項目では、キャリアカウンセリング理論の「**プランドハップンスタンスセオリー**」（計画的偶発性理論　ジョン・D・クルンボルツ博士提唱）をベースに、**人生を切り拓き、目の前のチャンスをつかみ取るために必要な5つのスキル**を紹介します。

それは、「**好奇心・持続性・柔軟性・楽観性・冒険心**」のことであり、この5つを得るために必要な考え方をお伝えします。

あなたが今のエンジニアの道に進んでいるのは必然ですか？　それとも偶然の積み重ねですか？

ジョン・D・クルンボルツ博士が提唱するプランドハップンスタンスセオリーによれば、「**人生の8割は、予想していなかった偶然の出来事により形成される**」としています。

確かに、今のあなたのキャリアを振り返った場合、今の仕事を選ぼうと小学生のときから決めていたかというと、そうではない人が多いのではないでしょうか？

たとえば、行きたい学校に入学できた人もいれば、そうではなかった人もいるでしょう。

たまたま隣の席にいたクラスメイトの影響で、思ってもいなかった部活に入ったり、親の事情で転校をした先で、思いもよらぬことが待っている場合もあったかもしれません。

人は、自分の努力や主体性を発揮して自らの人生を形づくっていくこともできますが、このように、実際には自分がコントロールできないことが自分の人生を決めるとしたら、偶然を味方につけられたほうがいいとは思いませんか？


本項目でご紹介するのは、計画的偶発性理論の中でも核となる、好奇心・持続性・柔軟性・楽観性・冒険心の5つのスキルです。

私が初めてこれを聞いたときに、「この5つの要素はスキルなのか？」という疑問が湧きました。これらは一見性格のようなものに思えますが、クルンボルツ博士は明確にスキルだと断言されています。


では、スキルとは何でしょうか？

スキルとは、「自分が使いたいときにいつでも使えて、一定の効果がある自分の技術」のことです。

そうすると、好奇心・持続性・柔軟性・楽観性・冒険心という、この5つの要素はどちらかというと、持って生まれた性格のように思えるかもしれませんが、後天的に獲得することも可能なのです。

では、各要素の説明と獲得の仕方についてお伝えしましょう。

まず1つ目は、**「好奇心」**です。**好奇心とは新しいことに興味を持つこと**です。好奇心が旺盛であれば、インターネットで調べてみたり、本を読んだり、人から話を聞いてみたり、自ら進んで情報を得るための行動が起こせます。

好奇心を育てるために有効なことを2つ紹介します。

①多趣味な人・雑学に詳しい人を友人に持つ

いつも新しい話を聞くことができて、まったく興味がないことに触れる機会が増えます。今まで生きてきた中で、知らなかったものについて新鮮な気持ちで話を聞くことができるので、その中からいくつかでも興味が持てれば世界が広がる可能性もあります。

②興味がない分野でも本物に触れること

今までまったく興味を持ったことがないようなものに出会う場合には、本物だと思うものに触れることをお勧めします。何でもそうですが、これは本物だと思えるものや一流だと思えるものに出会えれば、意外とその先の興味が湧いてきます。

自分の興味があることと、まったく興味のないことはあるとは思いますが、あえて「何それ？」「おもしろそう」「もっと教えて」と興味関心を持って色々聞いていると、その件についての様々な情報が入ってきます。

まずは、自分の可能性を広げるつもりで、興味のアンテナを立てることが大切です。その後に、今の自分に「いる・いらない」を判断すればいいだけです。不思議なことに、様々な情報が集まってきます。

次に**「持続性」**について、説明します。**持続性とは、あきらめることなく学び続けることを言います。**

たとえば資格取得のために、コツコツと学んできたことや、同じテーマをずっと継続して研究し続けたりすることはありませんか？ 途中で投げずに継続し学び続けることで、いつかそれがキャリアの広がりをもたらすのです。

次に**「柔軟性」**についてですが、この仕事でなくては受けないとか、自分の専門とは違うからやりたくないとか思っていませんか。

必ずしも自分のやりたいことだけで決めたキャリアではなくても、様々な異動のチャンスなどがあれば、積極的に受けましょう。

自分の希望とは多少違う場合でも、柔軟に引き受けることで仕事の守備範囲が広がります。

異動ということだけでなく、プロジェクトに参画することや、新しい役割を渡される場合にも同様です。自身の専門性のど真ん中でばかり仕事を受けていたのでは、仕事の広がりがありません。

私が働いていた外資系企業では、保守エンジニアをアカウントエンジニアとして育てることをしていました。

アカウントエンジニアとは、優良顧客に対しての特別専任チームに割り振られた人のことです。たとえば、保守契約の更新をしてもらえるように、契約のメリットを感じられるような付加価値を提案したり、大きな障害があればいかに問題を収束させるかなど、その顧客のビジネスをＩＴで支えるために自発的に考え動くという役割です。

アカウントエンジニアには、エンジニアとしての上位職を目指すという分かれ道がありましたが、現在、転職して名だたる外資系ＩＴ企業でマネージャとして活躍しているのは、アカウントエンジニアに転部したエンジニアたちです。

そこでは、技術的なことも学びつつ、顧客の困りごとを解決するために、自社と交渉したり、顧客からのプレッシャーの中、調整をしてきた経験を持っているエンジニアたちが

20年近く経った今でも第一線で活躍し続けています。

「自分の目指すキャリアとちょっと違うかな」と思った仕事でも、柔軟に受けることでその先のキャリアが大きく広がる可能性があります。

「楽観性」とは、うまくいかないことがあっても、なんとかなるさとポジティブに捉えることですが、じつはこの力を磨くことは意外と難しいのです。

もちろん性格的に元々が楽観的に考えられる人もいます。しかし、常によくないことが頭に浮かんで前に進めないタイプの人にとっては、「なんとかなる」と思って行動を起こすことに抵抗があります。

そして、**元々の性格が楽観的ではない人は、意識をして思考を止めないと、どこまでもうまくいかないシナリオが頭に浮かびます。**

ですから、**ネガティブなストーリーは考えることをやめる！　そして、「なんとかなる」と思い直すこと**です。

とはいえ、1人でそれをやるのは難しいので、まず楽観的な友人を近くに置くこと。また、うまくいくシナリオをイメージすることが大切です。ネガティブな思考に気づいてストップし、あえてポジティブに考えることを繰り返しましょう。

リスク管理ワークシート

	ネガティブインパクト　大	ネガティブインパクト　小
発生の確率　高		
発生の確率　低		

　また、あえて気になっていることをリスクとしてあげてしまうことも有効です。上図のようなリスク管理のワークシートに書き出しをするとスッキリします。

　リスクが起きたときのネガティブインパクト（リスクが起きたときの影響の大きさ）と発生の確率（リスクが実際に起きる確率の高さ）で整理しますが、起き得るリスクを具体的に書き出していきます。

　影響が大きくて、発生確率が高いリスクだけを管理し、あとは「なんとかなる」と思えればそれでＯＫです。

　最後に「**冒険心**」です。**先がどうなるのかわからなくても、進む力のこと**です。

　楽観性ともつながっていますが、リスクをあえて取るという意味もあります。リス

5つのスキル可視化シート

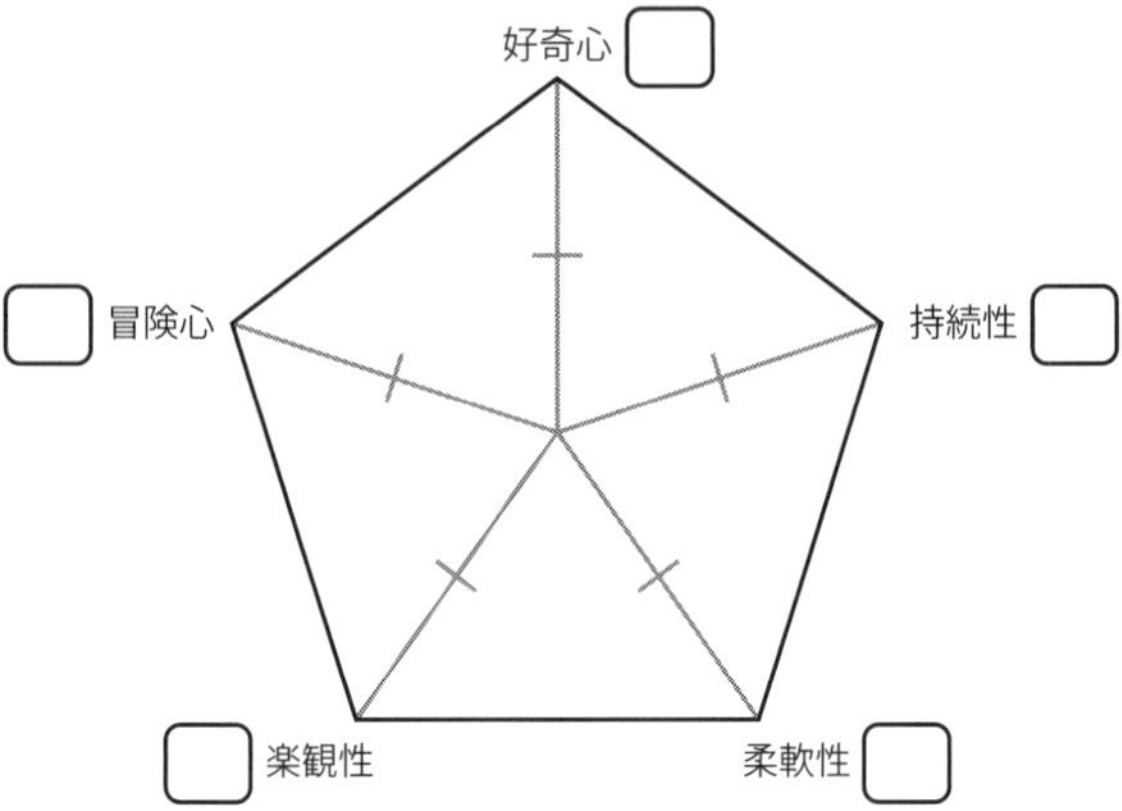

【ワーク】５つのスキルを10段階で評価します。５つの項目の得点を線でつないでみましょう。どのスキルを、どのように伸ばしますか？

クは時間が経つと影響が大きくなったり、発生確率が高まる場合もあります。ですから、書き出して、しっかりリスク管理すれば、冒険心を発揮しても怖くはありません。

好奇心・持続性・柔軟性・楽観性・冒険心、この5つは人生を切り拓くスキルです。そして、どれが欠けてもうまくいきませんし、今、不足があったとしても後天的に獲得することも可能です。自分なりの方法も模索しながら、スキルとして伸ばしていきましょう。

変化を恐れずに、変革を生み出す姿勢で歩み続ける

「変革か死か」。ユニクロの母体である株式会社ファーストリテイリングの代表取締役会長兼社長 柳井正さんの言葉です。

私がいた外資系企業も、毎年組織変更があり、いつもどこかでリストラをやっているような会社でした。リストラも、仕事ができないからリストラという場合もあれば、部署ごと海外に移設されるとか、大胆な施策を打つ会社だったので、働いている人はいつも危機感を持って仕事をしていました。

私自身も、所属していたコールセンターが、シンガポールに移設するとか北京に持っていくとかで、何度もリストラ対象になっていました。対象になってからは、辞めるか社内転職活動をするわけです。

自分で履歴書を書いて、めぼしいマネージャにアポを取り、面談をお願いして採用されたりされなかったり。椅子取りゲームのような時代もありました。

このような環境の中にいると、ある意味変化があることが当たり前の変化バカになっていて、多少のことでは動じなくなりました。

日本企業も組織変更やプロジェクト型組織で動くことも多くなり、社会にうまく適応している企業と、昔ながらで変化が進んでいない企業とに二極化が進んでいます。

後者の企業は変えたいけれど変えられない場合と、業界によっては変えないほうがいいと思っている企業とがあるようです。

伝統は大切ですが、その伝統を守るためにも変えるべきところは大胆に変えなければ、やはり待っているのは「死」ではないでしょうか？

では、この変革の時代の中にいて最も動きが速い技術の業界にいるエンジニアにとって、変革をするうえで大切なものは何でしょうか？

それは、**「変革を楽しむ」**ことだと思います。

私の働いていた会社は、２０１０年にオラクル社に買収されました。第一報が流れたときはまさに蜂の巣を突いたような状況で、社内は落胆と不安に満ちていました。本国からのメッセージもいち早く社員たちを落ち着かせようとする内容でしたが、どこの部署が残るのか？　どこの部署は必要なくなるのか？　当事者たちは戦々恐々の毎日でした。

そんな中、ニュージーランド出身の上司は当時１００名近くいた部下を集めて、全体会議を行いました。プレゼンの最初のスライドにはジェットコースターに乗ってみんなが笑顔で万歳している写真を映し、「変化をともに楽しもう！」とメッセージし、そして、最後のスライドには「リーサルウェポン（最終兵器）だ」と私の写真を出して笑いを取っていました。

確かに、2社の統合では私は切り込み隊長として、オペレーションに混乱が出ないように調整役として力を発揮しましたが、今思えば、それも見越してのプレゼンでした。彼も、元々はエンジニアです。アジア各国で働いてきて、このような企業買収をしたりされたりという経験から、ピンチを楽しむことを覚えてきたのでしょう。

このように外部の変化に対応することも大切ですが、組織の中にいながら、自分自身が変革を推進することも大切です。

チェンジエージェント（変革請負人）とは、自分が中心となり、変革する人のことを言います。**「今あるものを破壊して、ゼロからつくることを変革」**一方、**「今あるものを活かして改良することを改革」**と言います。

どちらが良い悪いではありません。改革で十分なときもあるでしょうし、変革でなければならない場合もあると思います。

M&Aなど、2つの文化が一緒になるような場合には改革ではなく、ゼロから考える変革が必要でした。どちらかに寄せれば、どちらかもう一方に不満が出るからです。そのように、変革と改革を意識的に使い分けていくことが大切です。

多くの技術の会社については、顧客ニーズの変化や多様性を受容することが求められている現状から、他業界と比較すると様々な変革は進んでいると思います。

たとえば、社内で使っている自動化ツールやＡＩの導入、また事務系の仕事を海外にアウトソースするなど、大胆な施策を実施している会社もあるでしょう。変革に痛みはつきものですが、急に仕事がなくなる人も、地方や海外に転勤が必要になる人もいるでしょう。

企業研修講師として感じることは、言葉だけが先行した「変革推進」を唱える会社が多いということです。

歴史のある会社ほど、「方向性として変革を推進したい！」と経営層は言っていて、若手層も理解しています。しかし、間にいるマネージャ層がなかなか社会の変化に対応しきれていない人たちが多く、変化に対しての抵抗勢力になってしまっているようです。

安定思考の人も多く、「あと数年乗り切れば自分の勤めが終わる」「今、十分忙しいから変革など行っている時間はない」などと思っている人も少なくありません。そこを動かすことは相当難しいですが、やはり「変革か死か」という言葉を伝えざるを得ない状況です。

ペイオフマトリックス

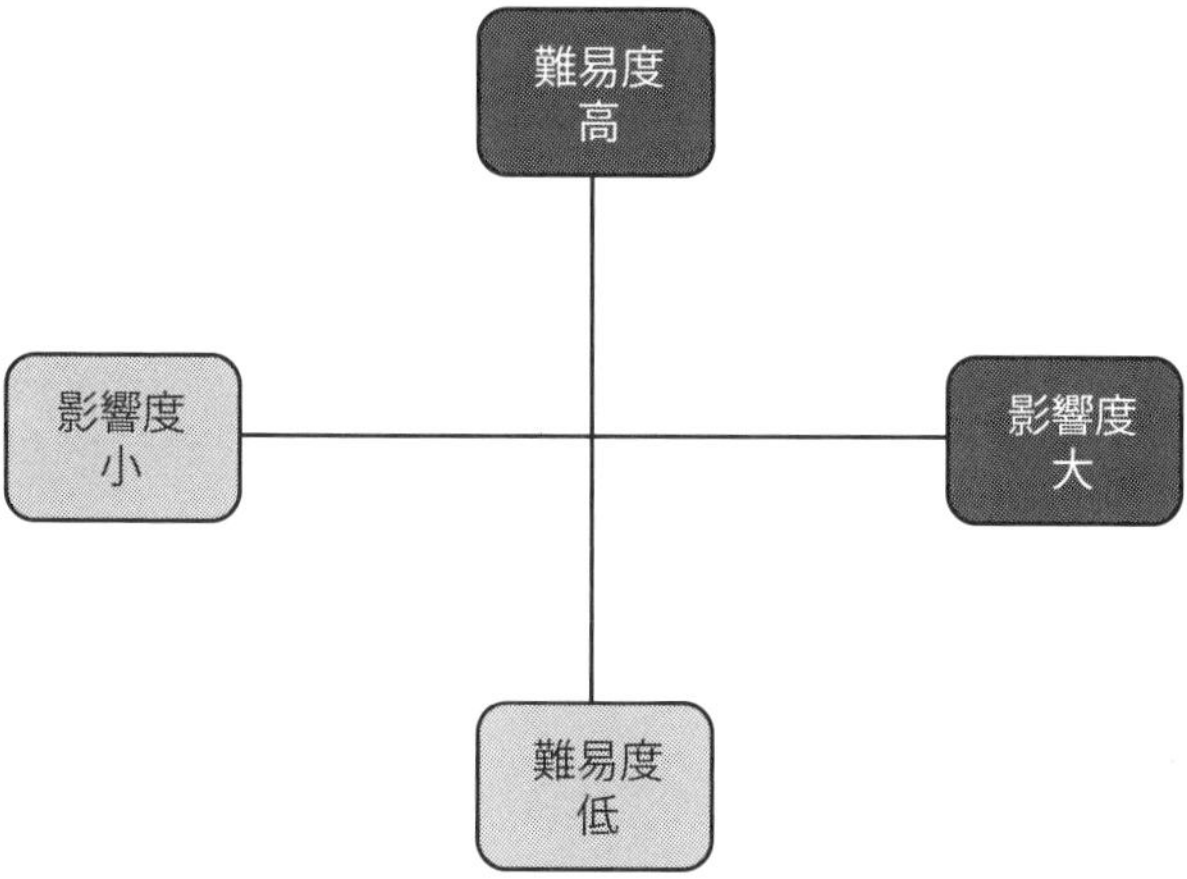

では、エンジニアが個人レベルで変革を推進することができるでしょうか？

それは、**「不の感情」をうまく使う**ことです。不満・不足・不公平・不快・不明・不備・不具合など、不の感情からしか変革は生まれないと言います。現状に満足していては、新しいやり方を手に入れることはできません。

「これが足りない」「あれは使いにくい」などと、不の感情が湧くような業務プロセスや社内ツールなどを洗い出し、不満会議を実施するといいでしょう。

思いっきり不の感情を吐き出してしまい、そこから「ではどうであればいいのか？」を、できるかできないかは考えずに解決のアイデアを数多く出します。

前ページの表は「ペイオフマトリックス」というツールですが、アイデアをたくさん出したら、実現が可能で、実施したら効果が高いものを選び取っていきます。短期的な施策としては、右下にあるものから実施していきます。

また、長期的な施策としては、右上にあるものを検討していくという、短期・長期の両面から検討していくことが大切です。

「小さな決断をして、結果を振り返るサイクル」をたくさん回す

前項にて、紹介したペイオフマトリックスで選んだ施策をとにかく実施するわけですが、一番の障壁となるのは、自分自身の弱さなのです。

決断とは、決めて断つこと。じつは、**決めることよりも、「断つこと」「やめること」のほうが難しい**のです。


どういうことかというと、新しいことをやるためには次の3つのステップが必要です。

①古いやり方に別れを告げ

②移行期を経て
③新しいやり方を手に入れる

新しいやり方が魅力的であれば、①②は最短で行けます。そして、①に戻ることはありません。

しかし、②の期間が長くなったり、③が魅力的に見えなかったりすると、③に行っても②に戻り、さらに①に戻ってしまうことがあります。

人は楽なほうに流れる生き物なので、とにかく**①②をいかにスムーズにするか、どうやって退路を断って後ろに戻れないようにするかを考えることが大切**です。

もう1つ大切な考え方を共有します。それは、**「常に100点を取ろうとしなくてもいい」**ということです。

行動が遅い人の特徴として、常に完璧を目指し、計画を立てる際にも100点の計画を作成する人がいます。

しかし、**計画は後から変わることが多いので、60点程度でよく、人の意見を聞きながら修正をして100点を目指したほうが現実的**です。

そのほうが、人を巻き込むこともできるため、「計画のドラフトを考えてみたんだけど、

リスクを小さくするためにG-PDCAサイクルを早く回す

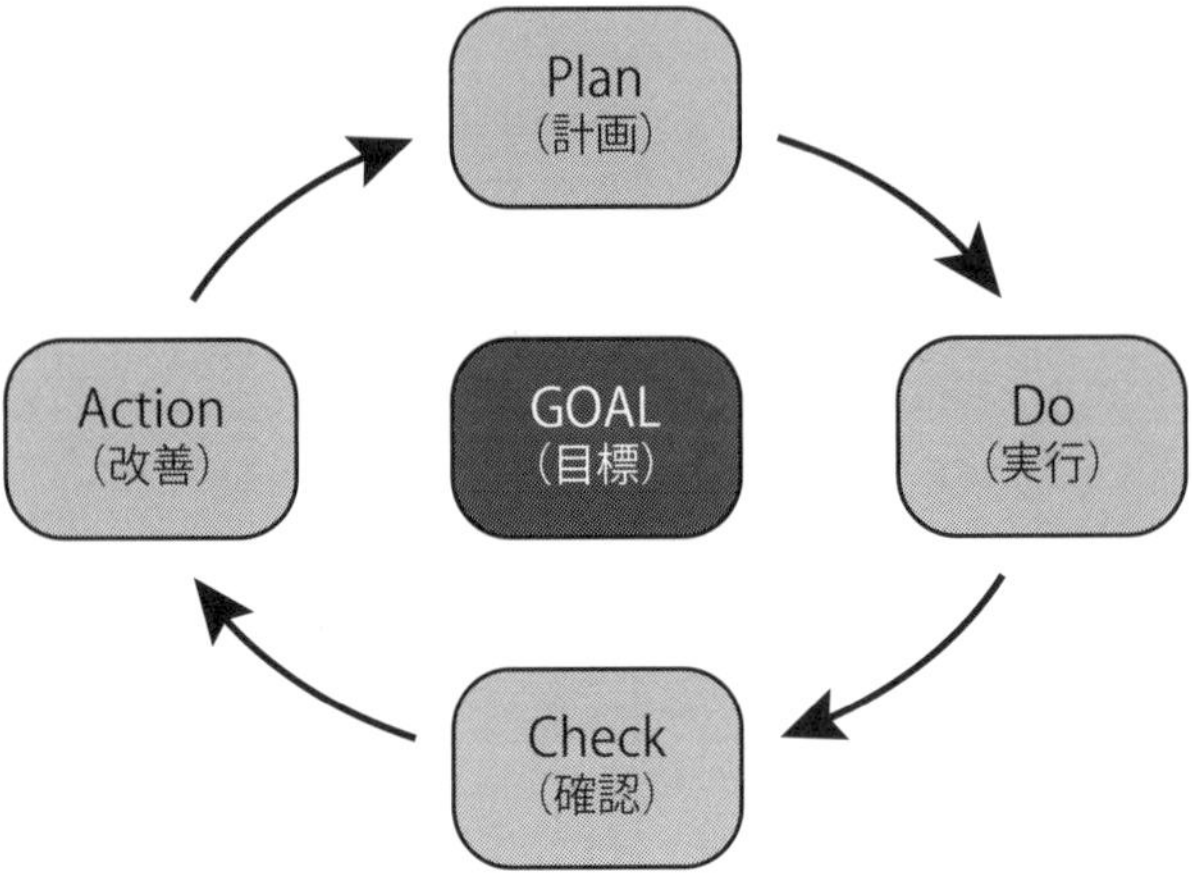

意見もらえる？」とお願いしながら、自分の計画を相手との共通の計画にしてしまいます。

そうすると、相手も徐々に真剣になり、気がつけば自分事になっているわけです。また、ガチガチの計画にして遊びがないと、変更が入ったときに修正が利かないことがあります。

そして、実際に行動するわけですが、振り返りの際の「ＰＤＣＡサイクル」を早く回すことが大切です。ＰＤＣＡサイクルの真ん中には常にＧ＝ゴールを置きます。

Ｐ＝計画はゴールと合っているか？

Ｄ＝実行はゴールを達成するための行動になっているか？

Ｃ＝確認はゴールや計画とのズレはない

か？

Ａ＝改善はゴールに対してズレをいかに対処するか？

このように考えて、このサイクルを素早く回していきます。

その結果、うまくいかなかった場合にも速やかに手が打てるため、決断したことのリスクも小さくなります。

このサイクルは、１日数回考えるだけで、ゴールからズレにくく軌道修正もかけやすくなるため、決断することが怖くなくなります。

また、行動することで自分の中にデータを収集することができるため、決断しない人、行動しない人との成長の差は非常に大きくなります。先が見えないこの時代、待っているだけでは何も変わりません。

第2章

一流のエンジニアは、「技術以外の仕事」を率先してやる

解説

多くのエンジニアは、自分の技術力を高めるための仕事は率先してやるが、それ以外の会議・調整・説明・謝罪・接待などからは逃げる傾向があります。

それらの仕事をやることで顧客の求めていることが理解でき、さらにコミュニケーションスキルが格段に伸びることになるのですが、そこに気づいていないエンジニアが多いのです。

それを避ける人と率先してやる人とでは、エンジニアとしての価値、キャリアの幅など、大きく差を生むことになります。本章では、**技術以外の仕事の例や、それを受けることで手に入るスキルの種類をお伝えします。**

技術以外の仕事は、自分の成長のための経験をする修行場である

かつて「謝りに行くのは苦にならない」というエンジニアがいました。あれから20年経った今も第一線で活躍している方です。

誰もが避けて通るような、謝罪の場面にあえて手をあげて行くという理由がわからず尋ねてみると、こんな理由でした。

「謝罪しに行くときこそが、新しいことを提案するチャンスなんです。相手が怒っている状態からいかに不の感情を引き出すのか？　そこで本来どうだったらよかったのかを聞き出せるし、そのうえでプラスの提案ができる。そして、何よりも逃げない人だという信頼関係が築けるのです」

誠意をもって謝罪をすることで、その先にお客様が本当にやりたかったことや、どうしたら満足するのかを聞き出すことができるので、相手目線の提案ができたそうです。そして今でもこの顧客との関係性は続いていて、転職するたびにお客様になってくださるのだそうです。

他にも、定例会議や様々な調整事や説明、または接待など、人との接点を持つことを嫌がるエンジニアも多いものです。

無駄な会議もあるでしょうし、他の部署との調整などは自分の仕事ではないと言ってしまえば言えなくはないでしょう。

しかし、**エンジニアにとって生身の人から直接話を聞くことは、技術力を高めることと同じくらい大切なこと**なのです。なぜなら、製品・サービスを導入してくれるのは最終的には人ですし、トラブルが起きたときに判断を下すのも人です。

もちろん、ＡＩが代わりに実施する場合もあるでしょうが、一番大切なことは最終的には人の判断が残るでしょう。だから、若いうちから人に接し、人間観察をして、仲良くなって、認められてチャンスをもらえれば、その人脈は一生ものなのです。

「社内会議」は、政治力アップのための場である

最近では、会議を短くしようとか、極力なくそうとする動きも増えてきています。確かに無駄な会議も多く、参加していても発言の機会すら与えられない、会議オーナーが一方

的に話して終わり、または、一言も発言しない人がいるような会議もあります。そんな会議はなくすか、参加者を見直すべきでしょう。

しかし、**お互いの顔を見て話し合うべき会議が絶対に必要な場面もあります**。たとえば、複数の組織に関わる横断的な問題解決、利害がぶつかるような変革推進など顔を突き合わせて話したほうがいい場合もあるので、会議招集があった場合には気持ちよく参加しましょう。

なぜなら、**社内会議は組織図ではわからない力関係が見えたり、参加者は何に興味があり、どんな欲求を持っているのか、また組織の過去のしがらみなども見える**こともあります。

議事録には書けないようなこともあり、前のめりに参加すれば様々な情報が手に入ります。それを面倒くさい、自分には関係ない話だと思ってスルーするのか、観察して自分なりのデータベースにしていくのかでは、会議内の意識の向け方がまったく変わります。

- ●参加者のプロファイル・悩み・出身や派閥
- ●組織の強みと課題・メンバーの状態
- ●社内の歴史・大きな出来事

●自分の興味ある部署のリサーチ・人脈づくり
会議のテーマとは別に目的を持って参加すれば、意識するだけで、これくらいの情報は手に入ります。

もちろん、会議の内容に集中することも大切ですので、本来の会議の参加目的も外さないようにバランスを取りながら参加してください。

「調整役」は人々の利害関係を知り、落としどころを探る鍛錬の場である

エンジニアが調整事を頼まれるとしたら、どんなときでしょうか？　たとえば、他部署との業務範囲での調整、顧客との契約条件の調整、協力会社との委託範囲の調整、グループ会社からの受託範囲の調整など、上司から依頼されることがあるかもしれません。

もちろん、そのようなことを専任で対応するチームがあり、エンジニアには任される仕事ではないかもしれませんが、このような**調整をうまくできるエンジニアはどこに行っても通用します。**

プロジェクトでは、様々な立場の人が協働するので、同じプロジェクト内にいるメンバ

ーでも利害がぶつかることが多々あります。

雇用形態も様々あり、立場や所属も違う人々が一緒のチームの中で働くため、複雑な関係性の中で調整が必要になります。

調整をする場合には、利害関係がぶつかるような人たちの要望を聞き、一見相反するような条件から落としどころを探っていき、最終的には両者が納得できるように話をまとめていくわけです。

このときに必要になってくる力が、**「傾聴力」**（第４章で後述）**「質問力」**（第４章・第５章で後述）**「交渉力」**（第６章で後述）です。

ここでお伝えするのは、**相手から聞いた条件を分解し、共通点と相違点を見つけていく「分解型思考力」**です。

たとえば、お互いの条件を聞いたうえで、**いつ（When）、どこで（Where）、誰が（Who）、何を（What）、なぜ（Why）、どのように（How to）、どれくらい（How many）、いくらで（How much）という「5W3H」で分解**していきます。

両者に８つの要素やそれ以外の要素を確認し、共通点と相違点を見つけて、違うところを中心にどうすべきかを決めていきます。

もし、契約条件として金額と納期が相違点だとすれば、納期を延ばして金額を下げるか、金額はそのままで納期を短縮するか、という話になります。

Aが正しい、Bが間違っているという話ではなく、Aが勝つ、Bが負けるという話でもなく、お互いの条件を細かく分けていって、あきらめずに違っているところだけを話し合えれば必ず合意が得られます。


この手間のかかる作業を根気よくやっていくことで、仕事についての理解が深まり、さらに相手の優先順位がわかれば交渉がしやすくなります。

条件を細かく聞いていくと相手の業務についての理解も深まるため、知識も増え、前向きな提案ができるようになり、結果的には相手との信頼関係も強固なものになり、継続的な関係性が築けることになります。

「顧客への説明」は、プレゼン力を高めるための実践の場である

大人数に向けてのプレゼンテーションをする機会は、担当業務によって大きく違っていると思います。ここでのプレゼン力というのは、一対一であっても、一対複数であっても、「自分の説明を聞いてもらう場面」を想定しています。

たとえば、上司への報告もプレゼンですし、会議での提案もプレゼンです。本項目では、**「社内外問わず仕事の関係者を顧客と捉え、その説明の機会を増やすことで得られるプレゼン力を伸ばしていくことが、一流のエンジニアになることの大切な要素」**であることをお伝えします。

そもそも、**「プレゼンテーションは、相手に何かしらの行動を起こしてもらうことが目的」**です。話を聞いてためになったとか、理解できたということもありますが、最終的には、聞いた人が何かしらのアクションを起こさなければ意味がありません。

たとえば、買うことを決める、理解した内容を関係者に伝える、次の会議で詳細を伝える機会を設けるなど、必ず行動が起きるところまでの道筋をつくる必要があります。

また、説明にあたっては、**「相手の知識レベルや技術レベルを加味したうえで言葉を選ぶ」**ことも大切です。詳細は第6章でお話ししますが、よくあるNGパターンをお伝えしておきます。

まずは、「知らないだろうから教えてあげるけど」という態度で上の立場から伝えてしまうやり方です。

技術的なことであれば、おそらくあなたのほうが知識や経験は多いことでしょう。しかし、相手には別の分野での専門性があるはずです。得意な分野が違うだけであって、「技術的な知識がない＝仕事ができない」わけではありません。

むしろ、自分よりも技術的に劣っている相手だからこそ、あなたがいる価値があるわけです。それを、相手に恥をかかせるように小難しい話を自慢げにする必要もなければ、相手の知識を試すような質問をする必要もありません。

本当にプレゼン力がある人は、相手の興味・関心があるところを中心にわかりやすく伝えます。また、相手が気づいていないような価値やリスクなどを伝えることを心がけています。

それができれば、相手にとって時間を割いてでも話を聞くべき人として認識され、アポも取りやすくなります。また、相手との関係性がよくなれば、あなたの会社やあなたのファンになってくれるので、あなたに代わって社内の調整をしてくれるようにもなるのです。

そのためにも、相手が一人でも複数でも、聞き手のことを理解するところから始める必要があるため、プレゼン力の向上には対話が欠かせません。

何を期待しているのか、何に困っているのか、事前にわかれば聞き取ります。事前に情報収集が難しい場合でも、一方的に話を進めるのではなく、相手の反応を見ながら問いかけていくことが必要です。

プレゼンをする機会が多ければ多いほど上達するので、自ら積極的に機会をつくっていくことを意識するといいでしょう。会議での発表や提案、勉強会で講師を務めるなど、顧客への説明以外にも日々できることを検討してみましょう。

「謝罪」の現場こそ、顧客の本音が聞けるチャンスである

謝罪は、誰しも受けたくない仕事のひとつです。自分がミスをして謝るのならまだしも、客先で謝罪をするほとんどの場合、原因は製品やサービスの不具合や不備などがあげられます。

そのような場合には、一エンジニアとしてというよりは、会社の代表として謝罪することがほとんどだと思います。

また、謝罪のタイミングとしては、問題の原因が特定して解決策を提供できる状態であればいいのですが、必ずしも、まだ問題の原因も不明で解決策も提示できない状態で、とりあえず状況確認とお詫びのために出向く場合も多いでしょう。

かつての会社では、保守部隊に所属していたため、障害対応で原因追及のために客先に出向くこともあり、まずは謝罪しないとサーバールームにも入れてもらえず、入れてもらえたとしても原因がわかるまで帰してもらえないようなケースも多々ありました。

私も障害コールの受付として電話応対をしていたときには、「この障害が今日中に解決しないと、明日の朝刊のトップ記事に載っちゃうよ」などと言われることもあり、原因がどちらにあるのかもわからないまま、状況に対してのお詫びをするしかありませんでした。

また、障害が収まって解決できた後にも改めて謝罪に行く場合があり、そのときには背景・問題の原因・解決策（短期・長期）・再発防止策なども求められるため、長期的な解決策や再発防止策などにも頭を悩ませる元同僚も多かったのです。

本章の最初に述べた、謝罪を喜んで受けるようなエンジニアは稀で、多くのエンジニアは今までの製品についての不満やサービスの改善要求など、ただ聞くだけという流れになると思います。

そういう状況はできれば避けたいし、聞いているようでも、心の中では「早くこの顧客の怒りが収まらないかな。自分のせいではないのにな」などと考えて、顧客の言い分を話半分で済ませている人も多いのではないでしょうか。

こうしたときの一流のエンジニアは、**謝罪は謝罪として詫びるべきポイントを明確にして謝り、自分たちの問題とそれ以外を分けて報告し、自分にできることを提案**します。

最近は製品の複雑化によって、この自社の問題とそれ以外を分けることは非常に難しいのです。しかし、責任範囲を明確にしておくことで自社と自分を守ることにつながるため、慎重に調べて謝罪をする必要があります。

日本の顧客は世界一品質に厳しいため、何がなぜ悪かったのか原因まで解析調査しないと許してくれませんが、他の国は元通り直ってしまえば、特に原因追及も求められないで終わるケースも多くありました。

ここまでお伝えしてきた通り、謝罪には大きく分けて２通りあります。

①問題の原因がわかる前の状態での状況に関する謝罪。
②自社の製品・サービスに不備がある場合の謝罪。

①については、原因が特定していないので、もしかしたらお客様側の使用環境や設定変更などによって引き起こされる場合や、他社製品の問題が原因で自社製品やサービスに影響が出たという場合があります。

したがって、安易に謝ってしまうと、すべてがこちらの責任になってしまうので、その場合には、注意が必要です。かといって、お客様の怒りも収まらないし、急ぐのは原因追及ですし、そのためにはお客様の協力は不可欠です。

では、どう謝罪すればいいかというと、「**部分謝罪**」です。

部分謝罪とは、「お客様の置かれている状況について」や「何らかの被害を被っていることについて」と、条件を付加しての謝罪です。

●ご不便をおかけして、申し訳ございません。

●ご心配な状況が続いており、申し訳ございません。

●原因特定までに時間がかかっており、申し訳ございません。

②の問題の原因がこちらにあった場合については、誠意をもってきちんと謝罪します。下手に隠し立てすると、相手の不信感にもつながりますので、できるだけ正確にそこに至るまでの経緯、問題の原因、解決策もしくは回避策、再発防止策などを報告します。

そして、もしも問題の原因がこちらになかった場合にも、相手を責めるようなことは絶対に言ってはなりません。他社さんの問題であっても、他社さんを非難するようなことは言うべきではありません。

今回は、たまたま自社の問題ではなかっただけで、もしかしたら今後同じようなトラブルが発生して、そのときに自社が原因になるかもしれないので、他人事ではありません。つい今までの苦労から一言言いたくなる気持ちもわかりますが、控えましょう。

謝罪をするときのコミュニケーション方法ですが、最近は、直接会うよりも電話やリモート会議システムを利用する場合も多くなりましたし、さらにメールやチャットでのやりとりが主になってきている会社も多いと思います。

しかし、**実際には会うことで得られる付帯情報も多く、会わなければわからなかった、意思決定に必要な情報や文字化できないような情報などもあるので、面倒だと思わずに会うことをお勧め**しています。

特に、トラブルやクレームなどのマイナスな状態の場合は、会わずに済ませたいと思いがちですが、だからこそあえて足を運ぶことに価値があります。状況に合わせて、許されるのであれば客先に出向きましょう。

そうすることにより、**思わぬ情報が手に入ったり、マイナスな状態からプラスマイナスゼロの状況まで顧客とともに乗り越えた経験を通して、お互いの距離感を縮める**ことにもなります。

電話やメールでの希薄な関係ではなく、客先に出向いて対応することで、プラスマイナスゼロからさらにプラスの価値を出すことができます。

トラブルが起きたことで、再発防止策として新たなサービスを提供する機会にできる場合もあるでしょうし、顧客は何に困っていて、どうしたいと思っているのか、一緒にトラブルを乗り切った相手であれば口を開いてくれる可能性が高まります。
前職の元同僚も、大きな障害を一緒に乗り越えてくれた顧客と転職してもずっと付き合っていて、「保守に○○さんがいるから、ここの会社からシステムを導入しよう」と言ってもらえているという事例もあります。逃げずに謝罪し、新たな提案の機会にできることが一流のエンジニアの条件です。

「接待」の場は、顧客の人間観察と自己表現の場である

最近は、飲み会にも若手社員が参加してくれないという話はよく聞きますが、職場の飲み会にも参加したがらないのに、お客様に気を遣うような接待に喜んで行くエンジニアは少ないのではないでしょうか。

今も大手顧客担当エンジニアで活躍している元同僚は、昔から営業について接待に同席し、お客様からかわいがられていました。営業が接待上手なのは当たり前かもしれませんが、そのエンジニアはお酒の席でも盛り上げ上手で、うまく人間関係を築いていました。特別なことをする必要もありませんが、**「接待」の場は、顧客の人間観察と自己表現をす**

る場でもあります。

誰かと一緒に食事をすると、相手との距離感が縮まります。どんなことに興味があるのか、今の仕事についた経緯や、仕事でどんなときに喜びを感じるかなど、できるだけポジティブなことに焦点を当てて質問をすれば、相手も話がしやすいので反応を見ながらするといいでしょう。

あまり気をまわしすぎると相手も疲れるので、相手の様子を見ながら声かけをするくらいで十分です。営業が同席しているようであれば、気遣いはお任せして、どちらかというと会話に集中することで、相手への理解を深めましょう。

相手もエンジニアであまり会話が弾まないようであれば、あえて技術の話をしてもいいかもしれません。相手よりもこちらが詳しい分野の話など、ちょっとした裏話や、昔はこうだった……など、先輩から聞いて自分も興味深かった話は、意外に盛り上がります。

また、自分の得意分野の話や差し支えない範囲での他社事例なども喜ばれます。自分の価値をさりげなくアピールできれば、相手からも頼りにされる存在になるでしょう。

さらに、接待の場をセットする立場であれば、その場を**「プロジェクト」**と捉えることもできます。

プロジェクトの特徴として、必ず始まりがあり、終わりがあります（有機性）。また、どんなプロジェクトも唯一無二であり、1つとして同じプロジェクトはありません（独自性）。

ですから、接待もプロジェクトだと言うことができます。

そのプロジェクトは、必ず5つのプロセスがあります。**「立ち上げ↓計画↓実行↓監視・コントロール↓終結」**。（これはproject Manegement Body of Knowledge、略してPMBの考え方に基づいています。参考：『プロジェクトマネジメント知識体系ガイド PMBOKガイド 第6版 〈日本語〉』[著Project Management Institute]）

接待の場を企画するコンセプトをまとめ、立ち上げます。その後は、宴席をうまく運営するために必要な計画を立てて、実行し、その間ずっとうまくいっているかどうかを監視し、後処理をして終わっていくわけです。

そして、そのプロジェクトには、**「10個の知識エリア」**があります。これについては、宴会を企画運営する場合に置き換えて解説します。

・プロジェクト・統合マネジメント：宴会プロジェクトの全体を統合し管理する。
・プロジェクト・スコープ・マネジメント：何が範囲で何が範囲でないかを分けて管理する。
・プロジェクト・スケジュール・マネジメント：スケジュールがうまくいっているか管理する。
・プロジェクト・コスト・マネジメント：コストを管理する。
・プロジェクト・品質マネジメント：宴会の品質（料理や飲み物、店員の態度、参加者の満足度など）を管理する。
・プロジェクト・資源マネジメント：リソースとしてのヒト・モノ・カネ・情報を管理する。
・プロジェクト・コミュニケーション・マネジメント：コミュニケーションが円滑で適切かを管理する。
・プロジェクト・リスク・マネジメント：リスクをあげて、起きる確率や影響度を管理する。
・プロジェクト・調達マネジメント：お店の選定・予約・支払いやプレゼントなど外部調達が必要なものを管理する。
・プロジェクト・ステークホルダー・マネジメント：利害関係者（会費を出してくれる

人や開催の許可をくれる人、参加者も含め）を洗い出して、宴会がうまくいくように管理する。

このように考えると、接待の場は小さなプロジェクトを回すつもりで運営すれば、自分自身の勉強にもなります。そして、その様子を必ず誰かが見てくれているのです。働きがよければ、気が利くエンジニアだと次のプロジェクトのメンバーとして名前があがるかもしれません。

第3章

一流のエンジニアは、「顧客の問題解決」を最優先に考える

解説

エンジニアの究極の存在意義は、「顧客の問題を解決すること！」と言い切っても過言ではありません。

問題解決を行うためには、まずは、顧客の問題を正しく理解する必要があります。そもそも**問題とは何で、どうしたらそれを解決することができるのかを、顧客と一緒に考えられる人が価値のあるエンジニアです**。

自社の製品やサービスの価値を最大化することや、そのメリットを伝えることだけがエンジニアの使命ではありません。

本章では、**問題解決のために必要なスキルを伝え、どうしたら顧客志向の一流のエンジニアになれるのか**を考えましょう。

一流のエンジニアは、常に「顧客の問題解決」のために存在している

一般的には、営業の使命は、「お客様の問題を解決すること」だと言われますが、エンジニアの使命も同様です。

営業とは解決の手段が違って、そこにそのエンジニアが持っている技術力を使うわけです。

しかし、いくら技術力が高いエンジニアであっても、**「顧客が何にどう困っているのかを聞き出すスキル」**がなければ、独りよがりの解決策になってしまいます。

また、**「提案する解決策が、相手にとってどういうメリットがあるのかを伝えるスキル」**がなければ、受け入れてはもらえません。

さらに、**「顧客の置かれている状況を理解し共感すること」**がなければ、人として信頼されて選ばれるところまではいきません。

一流のエンジニアの問題解決力は、「技術力と人間力」の両輪がそろってこそ発揮できるのです。

かつて、私が所属していたシリコンバレーの会社には、何名もの神と言われるエンジニアがいました。

「ネットワークの神」「OSの神」「ストレージの神」など、各担当エリアに詳しく、その分野のことであればどんなことでも知っているような神様のような存在です。

一般のエンジニアが、うーんうーんと悩んでも、どこに原因があるのかわからないような問題も、おにぎりを片手で食べながらソースコードを読んで、「あ、ここ！」と指さして、プログラムの不具合を言い当ててしまう神。

何か月もかかって問題すら特定できない案件を引き継いだところ、一瞬で片づけてしまった神。神のような様々なエンジニアたちを見てきました。

ある日、長期化する問題や影響の大きな問題の障害会議に連れ出そうと、神エンジニアを客先へ連れて行ったところ、神はどれだけ自分の能力が優れているのか、何をどれだけやって解決できたのか、という自分目線での話の組み立てで、専門用語を並べ立てて語り出しました。

顧客はポカーンと口を開けて聞いていましたが、徐々に貧乏ゆすりをし出し、明らかにイライラした様子で空気が重苦しくなってきました。しかし、神はそれにはまったく気づくことなく語り続けました。

そして、ついにお客様は「そんなこと聞いているんじゃない！　それで私たちのシステムはこの先いつ使えるようになるんだ！」と声を荒らげてしまわれたのです。

その原因は、「神は民の言葉を話せなかった」からです。そのためには、別の人間が神の言葉をわかりやすくかみ砕いて、お客様にお伝えする必要があったのです。

しかし、それに気づいたときにはすでに遅く、怒ったお客様は「二度とあのエンジニアは連れてくるな！」と、そのエンジニアは出入り禁止になってしまいました。

神エンジニアが言っていることは事実として正しいし、提案する解決策も問題を解決するには有効なものでした。しかし、**お客様は、共感と謝罪、そして、解決策を実施すると今後どのような影響があるのか、ビジネスの継続性や再発のリスクなど、エンジニアに自分事として考えてほしかった**のです。

それを、時系列に何をどうしたからこうなったのかというエンジニア目線での話は、お客様からすると着地点が見えずに、聞いていてフラストレーションがたまる時間だったと後から気づきました。

技術的には、一番詳しいエンジニアを連れて行ったのに、顧客の求めるものを提供できなかったことは大反省でした。

のちに、エンジニアの育成を担当するようになった際にも、この経験を活かし、**エンジニアのあるべき姿には、高い技術力プラス高い人間力が必要**だと定義しました。そこがベースにあってこそ、問題解決の力が活きるのです。そして、顧客の問題解決の質を高めるためには、矢印は自分ではなく、顧客に向けるべきなのです。

問題解決の5つのステップを学ぶ

問題解決の手法は世の中に数多くありますが、私がいたシリコンバレーの会社で採用していたのが、**「シックスシグマ」という手法です。統計学に基づいた、品質管理を行うためのフレームワーク**です。

1980年代に米国のモトローラ社によって開発され、その後、ゼネラル・エレクトリック（GE）のCEOだったジャック・ウェルチが広く世の中に広めました。

シックスシグマの目的は、業務プロセスの品質を測定し改善することにあります。特徴的なのは、すべては顧客の声（Voice of Customer）を集めることから始めるところです。

また、改善活動で得られた結果を明確に数値化するのも特徴的な点です。問題解決に至るステップは次に示した5つがあります。

各ステップの詳細は次の項目から説明します。

●ステップ①：問題を定義する

問題解決は、問題を特定するところから始まる。何がどう問題なのかを定義していく方法を学ぶ。

●ステップ②：データを測定する

何がどのくらい問題なのか？　データを測定して、程度を測る方法を伝える。まずは、VOC（顧客の声）を取るところから始めて、データ化する方法を伝える。

●ステップ③：原因を分析する

何が問題の原因なのかを集めたデータを使って分析していく。また、分析のためのツールを紹介する。

●ステップ④：解決策を検討・実施する

問題の原因がわかったら、その原因に対して有効な解決策を多角的に検討する。そして、実施可能な計画に落とし込み、実行する方向を伝える。

●ステップ⑤：評価・監視する

実施した解決策が問題に対して有効だったのかを評価・検証する。また、その全体のプロセスがうまくいっているのかを監視し、うまくいかなければ更なる改善を行う。

●問題解決方法の実際の仕事での活かし方を考える

問題解決の方法を、エンジニアの通常業務でどう活かしていくのかを考える。たとえば、障害対応やサービスの提案など。

シックスシグマの問題解決のプロセス

Define（定義）	What	問題とは何か？
Measure（測定）	Where	データや論理的な根拠のある問題点の説明
Analyze（分析）	Why	根本的原因
Improve（改善）	How①	プロセスの改善
Control（管理）	How②	改善と検証の報告

シックスシグマの5つのステップを意識することで、思いつきではなく、お客様の話を聞いても何が問題で、どれくらい問題で、その原因は何で、どんな解決策があって実行し、それがどんな効果を生むのかを語れるようになります。

そして、問題の原因分析や解決策を検討するときには、エンジニアの技術力は必須です。しかし、問題解決の力がなければ、いくら技術力が高くても、その技術力を活かすことはできません。

◆ステップ①：問題を定義する

一日に何度も「問題」という言葉は口にすると思いますが、そもそも「問題」という言葉の定義をご存じでしょうか？

一番簡単でわかりやすい**「問題」の定義は、「あるべき姿」と「現状」のギャップ（差）**です。

「あるべき姿」とは、組織の目標の場合もあれば、上司や部下、あるいは顧客と自社の求める姿のことです。話がかみ合わないのは「あるべき姿」が合っていないのか、「現状」の認識が合っていないのか、または、そのどちらもズレているのか、ということです。

そこを共有せずに、問題を話し合っている場合が多いため、話がかみ合わず、打つ手もズレるのです。

問題解決は、問題がきちんと定義できれば8割方解決したのも同然と言われるほど、問題の定義は大切なのです。

たとえば、お客様があなたの会社が提供するサービスを利用しているとします。そして、

問題の定義とは、あるべき姿と現状のギャップ

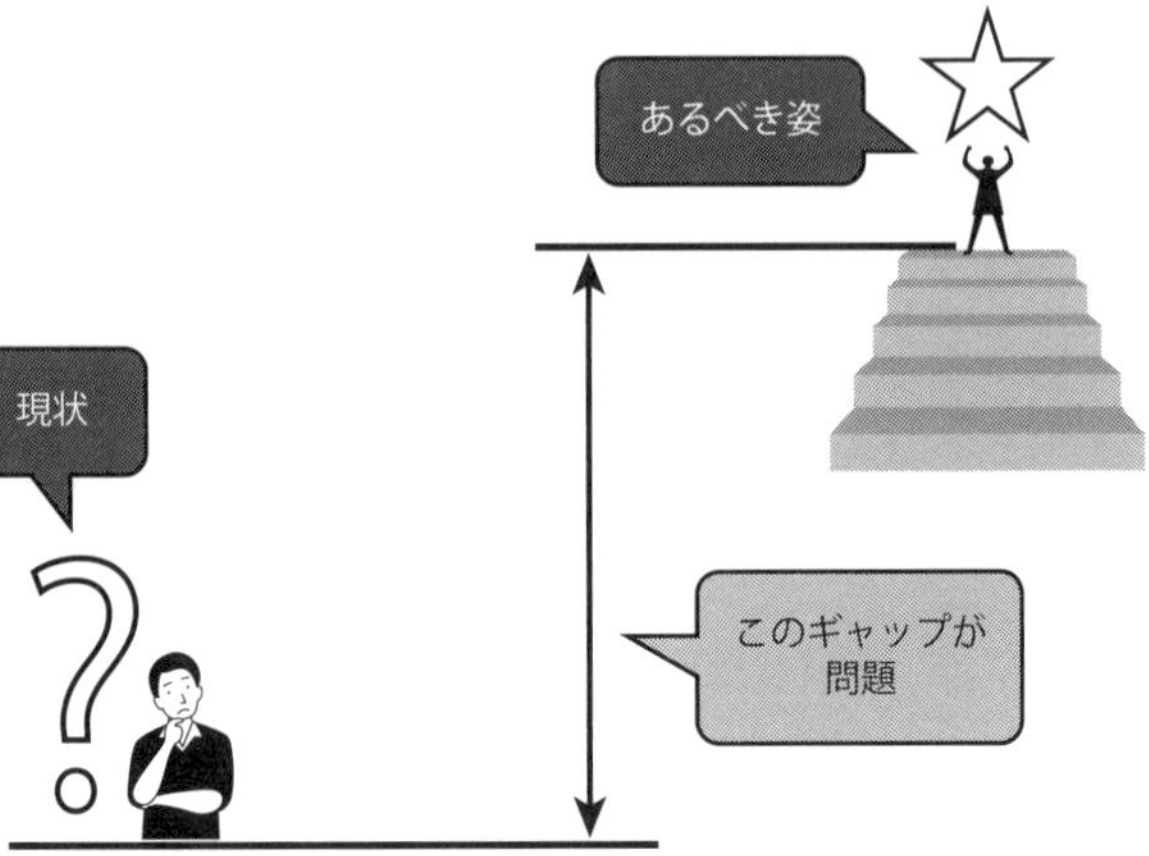

そのサービスに不具合があり、お客様のビジネスが継続できない状況になったとします。

飛行機のチケットが発券できないとか、そんな状況を想像してみてください。それを解決しなければ、多くの一般ユーザーに多大な迷惑をかけることになります。その場合の問題はどう定義したらいいでしょうか？

あるべき姿を、問題が起きていない安定稼働の状態と置くのか？　次には問題が起きないような状況づくりを目指すのか？その理想の状態をどう設定するかによって、次に必要な情報収集の方向性が変わってきます。

また、現状把握についても、何をどこか

ら見ているかによって変わってきます。障害が大きければ大きいほど、あるべき姿を話し合い、現状を多方面から共有し、どんなギャップがあるかを明確にします。

同じ問題であっても、あるべき姿と現状の捉え方によって問題の定義が変わってきます。

●一般的なエンジニアの目線

あるべき姿：24時間３６５日稼働すべきチケット発券システムが、安定稼働を続けている状態。
現状：〇月〇日〇時からシステムダウンを起こして、現在もサービスが停止している。
問題：安定稼働すべきサービスの停止が問題。
↓障害が片づくだけではなく、サービスが将来的に安定稼働するための提案をする。

●顧客目線

あるべき姿：今すぐチケット発券ができる状態にすること。
現状：システムダウンが続いていて発券できないため、空港で混乱が起きている。
問題：チケットが発券できず、空港で混乱が起きていることが問題。
↓システムで解決できる以外の解決策についても提案できる。

●自分目線

あるべき姿：障害対応が時間内に片づくこと。
現状：24時間稼働のシステムに緊急性が高い障害が入ってきた。
問題：重大かつ緊急性が高い障害が起きていて、今日は定時には帰れないことが問題。

問題を定義するときに、誰から見てあるべき姿なのか、誰から見ての現状なのか、そして誰から見て問題なのかを考えて問題を定義しないと問題解決はできません。

問題について、もう1つお伝えしたいことがあります。それは、**問題には3つの種類があるということです。トラブル型問題・理想型問題・未来型問題**の3つです。

まず、1つ目のトラブル型問題は、先程の障害のように日々発生するトラブルです。つまり、あるべき姿から外れてしまった現状が起きてしまった状態です。壊れたり、無くなったりなどマイナスな状態を引き起こしてしまうという問題です。

2つ目は、理想型問題です。これは、あるべき姿を理想として高めていき、現実とのギャップをあえてつくることにより起こす問題です。

3つ目は、未来型問題です。このままであれば問題にはなりませんが、未来はどんどん変化します。あるべき姿を現状の延長ではなく予想した未来に置くことで、現状とのギャップをつくり設定する問題です。

日々、トラブル型問題に振り回されてしまいがちですが、**あえて理想の状態から逆算して考える理想型問題や、将来起きることを予測して問題を考えていく時間を取ることは大切**です。

自分のキャリアを考えるのは理想型問題ですし、これからの日本や世界の流れを予想して様々な製品やサービスを考えるのは未来型問題です。

いずれの問題にしても、まずは、「あるべき姿と現状を押さえてから、そのギャップを明確にすることで問題を定義していく」という習慣を身につけていきましょう。

◆ステップ②：データを測定する

問題が特定できたら、**何がどれくらい問題なのかを数値で測定**していきます。ただし、この数値化は仕事の中身によっては難しい場合もあるでしょう。

シックスシグマでは、問題を測定する際に、必ずVoice of Customer（顧客の声・VOC）を聞くところから始めます。

「顧客を誰と捉えるか」という内容について書きましたが、その業務に関わるすべての人を顧客としてください。

なぜ、顧客の声（ＶＯＣ）から始めるのかというと、**人によって、あるべき姿も現状も見え方が違うから**です。

あらためて、**顧客の声から、それが本当に問題なのか？　そして、どれくらい問題なのか？　を客観的に見ていきます。**

データには2種類あります。1つは「**定量データ**」で、**これはいわゆる数値化ができるデータ**です。顧客満足度98％とか、ミス率０・２％、今月の障害発生件数２０００件など数字で表現できるものです。

もう1つは「**定性データ**」**といって、数字では表せないデータ**です。たとえば、「このサービスのどこが気に入っているのか？」とか、「どこを改善すればもっと利用者が増えるのか？」などの質問に対する答えです。アンケートのコメント欄などがそれにあたります。

数値で集計はできませんが、何が問題なのかとか、どうすれば満足なのかなどを読み解くには非常に大切なデータです。実際にＶＯＣを集めるには、この2つのデータを集めることが大切です。

データ収集をするには、「アンケート形式」と「ワークショップ形式（会議でも可）」があります。アンケートは時間がないとき、関係者が集まれない場合に有効です。ワークショップもしくは短時間の会議形式でもＶＯＣ収集は可能です。

私が勤めていた会社では、半日程度のワークショップを開催して、ＶＯＣを集め、分析するような時間を取る場合がありました。事前アンケートで声を持ち寄る場合もありますし、当日付箋に書き出して分類し、分析する場合もありました。

また、数値データを取るために、たとえば、ある業務プロセスの効率性が悪いという問題に対して、何がどれくらい問題なのかを計るためには、プロセスを細かく分解して、一つずつのプロセスにどれくらい時間がかかっているのかを、10人いれば10人分ストップウォッチで測定していました。

データを見ると人によりバラツキがあったり、時間帯や曜日でバラツキがあったりして、何がどう問題なのかが見えてきます。

また、問い合わせの内容を分析するのに、あらかじめ10個の項目を出しておいて、該当の問い合わせが来た場合には正の字を書いてカウントしました。原始的なやり方ですが、2週間もデータを集めれば傾向は見えてきます。

このようにデータ集めは手間がかかりますが、**データを使って主張ができれば、顧客や**

上司への訴求力が高まります。つまり、何にどれだけ時間がかかるので人を○人ください とか、これをするにはこれだけの工数がかかるので○万円です、というように言える裏付けができるのです。

問題解決の際にも、何がどれくらい問題だと定量データで伝え、さらに定性データをつければパワフルです。問題解決に取り組むための時間の捻出や、費用の負担などについても予算をつけてくれる場合もあります。

私がかつて取り組んだ業務改善プロジェクトでは、部品の配備と配送のルールを改善したのですが、四半期に700万円のコスト削減ができたのです。

業務改善に費やした時間は週に2時間で月に8時間、そして3か月のプロジェクトだと24時間で、メンバーが6名だったので、144時間でした。多めに見積もって時給1万円としても、144万円で700万円もの成果があるのであれば、上司も業務改善プロジェクトに賛同してくれるはずです。

できるエンジニアは顧客の声を収集し、効果的に数字を味方につけることで説得力のある発言ができるようになります。そして、数字は必ずしも売り上げだけではなく、業務プロセスや顧客満足度なども数値として提示できれば、やりたいことを提案する際にも説得力のある材料となり得ます。

◆ステップ③：原因を分析する

問題は日々起きます。とりあえずの対処法でその場を乗り切ることは、実務能力が高ければ高い人ほど素早く対応できます。「血が出た、はい絆創膏貼って！」という感じです。

でも、いつもその対応でいいかというと、血が出た原因は一つではないため後から絆創膏をはがすと中が膿んでいることもあれば、他のところが出血している場合もあるでしょう。

問題解決研修の際に必ず伝える話なのですが、和歌山市沖にある友ヶ島にはレンガ造りの旧日本軍の砲台跡が残る観光スポットがあります。アニメに描かれている景色に似ているということで、年間６万人という観光客が訪れているそうです。

海に浮かぶこの美しい島ですが、別の一面があります。それは、海岸線に打ち上げられたゴミの山です。あちらこちらのＮＰＯなどが、ボランティアでゴミ掃除にやってきてはきれいにするのですが、しばらくするとまたゴミがたまってしまうのです。

なぜ、こんなことになるのでしょうか？　原因は、どこにあるのかがわからなければ、いつまでもゴミ拾いに多大な労力をかけることになります。

ゴミの山ができる原因は、大都市の川から流れてきたゴミが大阪湾に流れ込み、外海に出る手前にある友ヶ島がゲートキーパーの役割をして、ゴミをせき止めているのです。ですから、原因である大都市の河川へのゴミのポイ捨てがなくならない限り、島でいくらゴミ拾いをしたところで島の海岸はきれいになりません。

この話をエンジニアにして、気づいたことを話し合ってもらうと、「いかにゴミ拾いのように現場が疲弊する仕事が多いか」また、「その仕事が増えてしまう原因に手が打てていないこと」に気づきます。

たとえば、顧客データを入力する際、入力ルールが整理されていないと複数のエンジニアが適当に入力します。いざデータを取ろうと思ったときに、間違ったデータを一件一件手作業で直すのは骨の折れる仕事です。

また、きちんとルール化して現場に落とし込みができれば、不毛な仕事をする必要はありません。他にもマニュアルがないこと、ＦＡＱがないこと、報告書のテンプレートがないこと、などが問題の原因としてあげられます。

原因を深掘りする方法としては、**「フィッシュボーン（特性要因図）」**を用います。つく

フィッシュボーンで問題の原因を見つける

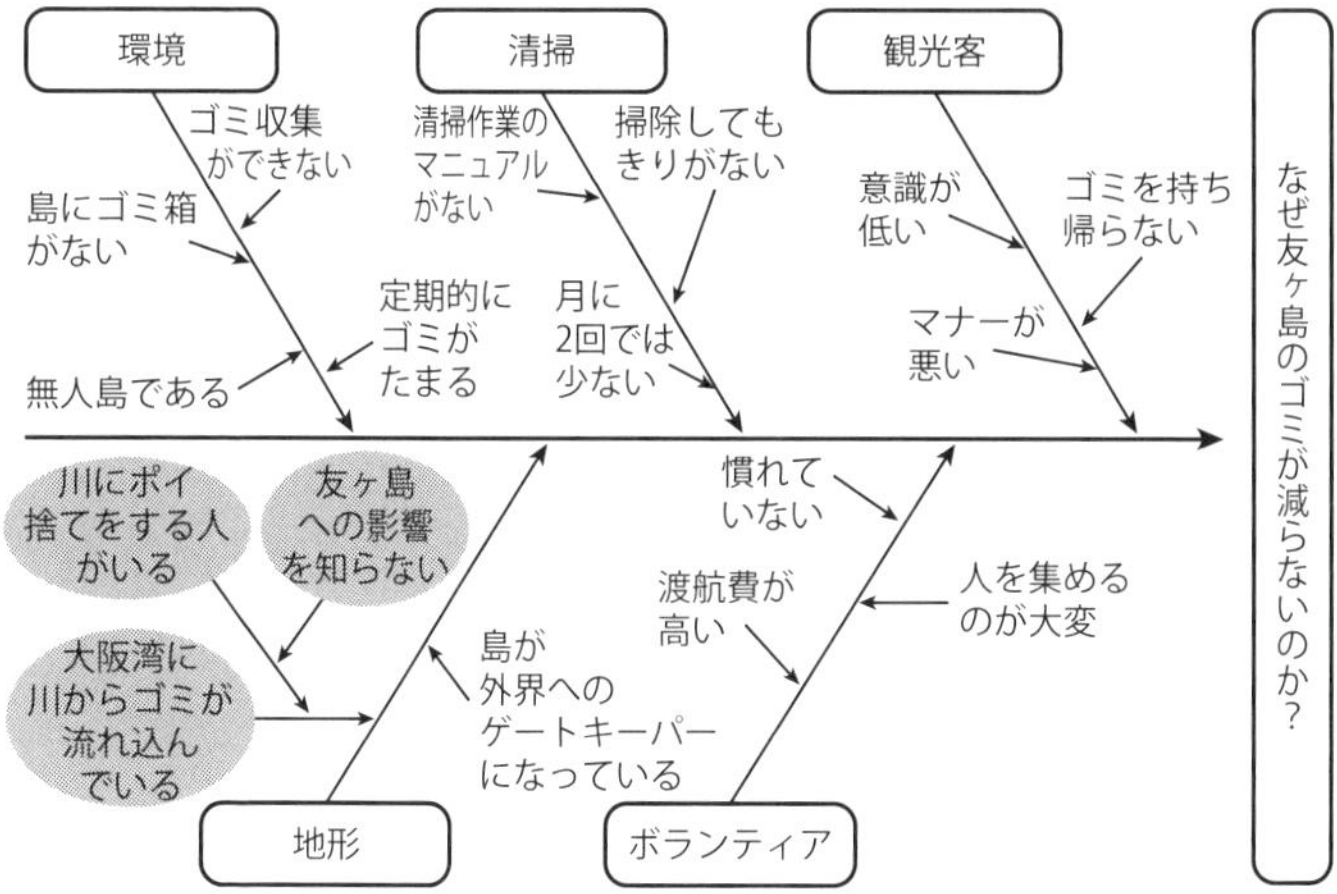

り方は次のとおりです。

(1) 右端に、何について深掘りをするのか、問いを立てる。なぜ〜しないのか？　なぜ〜できないのか？　など。

(2) 大骨を書く。人・物・金・環境・プロセス・情報など要因を決めて書く。

(3) 小骨を書く。問いに対して、大骨にあげた要因に関連する原因を書く。

(4) 眺めてみて、どこに問題の原因がありそうなのかを○で囲む。

※例として「なぜ友ヶ島のゴミが減らないのか？」を深掘りしました。

このように、仮説ではありますがいったん書き出してみると、どこに問題の原因があるのかを深掘りすることができます。そして、事前に集めたデータがあれば、それを突き合わせてみることで、より説得力のある問題分析となります。

◆ステップ④：解決策を検討・実施する

問題の原因を突き止めることができれば、解決策を考えることはそれほど難しくはないはずです。しかし、経験があればあるほど、思い込みもあり、いつもと同じ解決策でいいと思い、短絡的な解決策になってしまうことがあります。

解決策を検討するときには、なるべく多くの人の知恵を借りることをお勧めします。なぜなら、一人で考えていると、これをやるのは自分だとすると大変だな、面倒だなと思った瞬間、アイデアがしぼんでしまうからです。

そうならないためにも、複数のメンバーと一緒にワイワイガヤガヤと話をすることをお勧めします。できるかできないか、効果があるかどうかは後から考えるので、解決策を具体的に数多くあげることが大切なのです。

解決策を具体的に数多くあげるためには、「発想図」に書き出すことをお勧めします。書き方は次のとおりです。

(1) 真ん中に「テーマ」を書きます。「○○をするためには？」

郵便はがき

切手をお貼りください。

102-0071

東京都千代田区富士見一―二―十一
KAWADAフラッツ一階

さくら舎 行

住所	〒 都道府県		
フリガナ		年齢	歳
氏名		性別	男 女
TEL	( )		
E-Mail			

さくら舎ウェブサイト www.sakurasha.com

愛読者カード

ご購読ありがとうございました。今後の参考とさせていただきますので、ご協力をお願いいたします。また、新刊案内等をお送りさせていただくことがあります。

【1】本のタイトルをお書きください。

【2】この本を何でお知りになりましたか。

1.書店で実物を見て　2.新聞広告(　　　　新聞)
3.書評で(　　　　)　4.図書館・図書室で　5.人にすすめられて
6.インターネット　7.その他(　　　　)

【3】お買い求めになった理由をお聞かせください。

1.タイトルにひかれて　2.テーマやジャンルに興味があるので
3.著者が好きだから　4.カバーデザインがよかったから
5.その他(　　　　)

【4】お買い求めの店名を教えてください。

【5】本書についてのご意見、ご感想をお聞かせください。

●ご記入のご感想を、広告等、本のPRに使わせていただいてもよろしいですか。
□に✓をご記入ください。　□ 実名で可　□ 匿名で可　□ 不可

発想図で解決策を考える

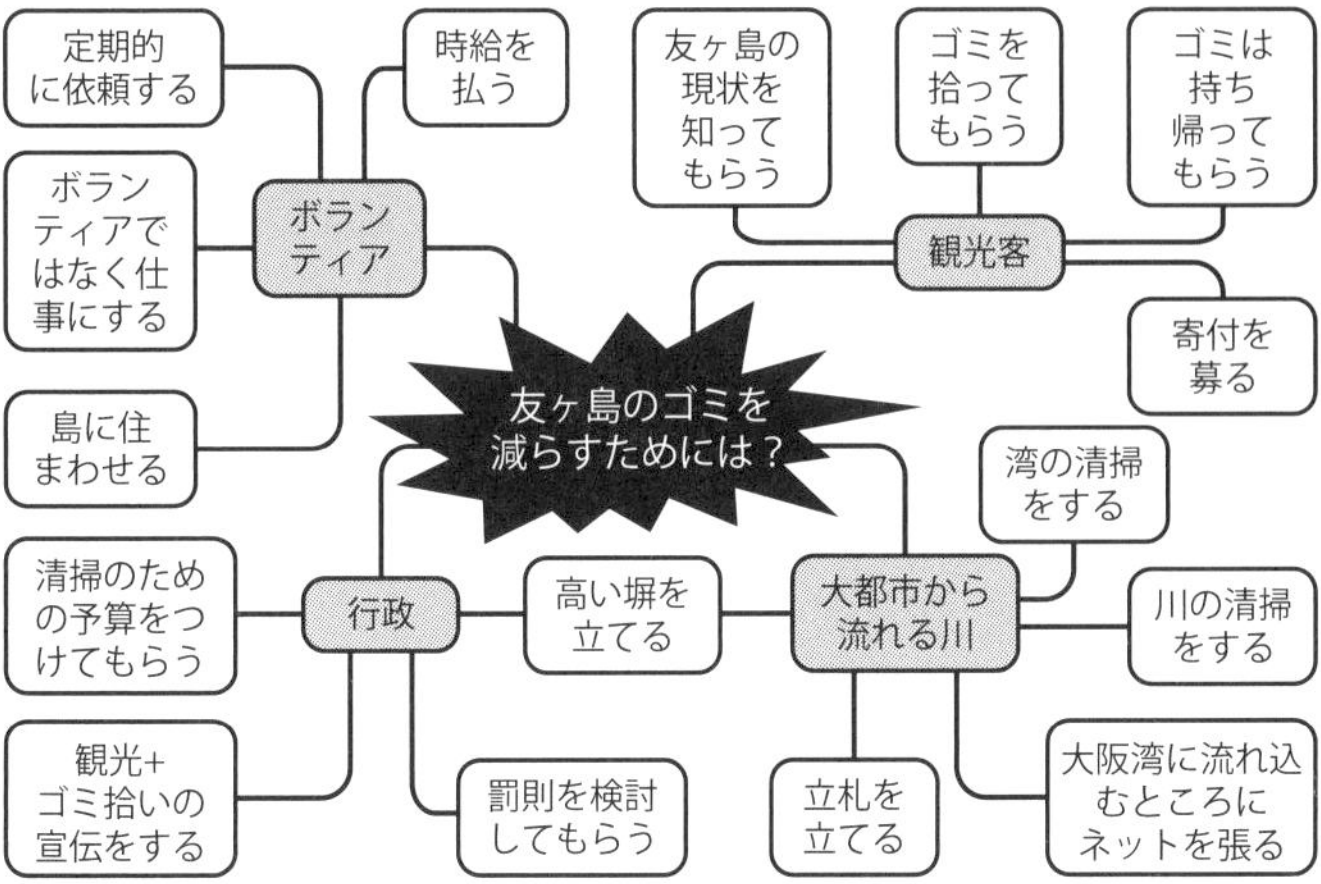

(2) 実現するために、いくつかの「要素」を出します。

(3) テーマを解決するための「アイデア」を、要素にひもづけて発想します。

次に、たくさん出た**解決策を絞り込むための「ツール」**をご紹介しましょう。

まず、1つ目は「**マトリックス**」です。

軸は影響度（解決策を実施した場合にどれくらい影響があるか？）、もう1つの軸は実現度（期間やコストや難易度などを検討した実現の可能性はあるか？）を検討します。影響度が大きく実現度も高いものから選び取っていきます。

先ほどの友ヶ島の例でいくと、このように解決のアイデアを4象限に置いていきま

マトリックスで解決策を絞り込む

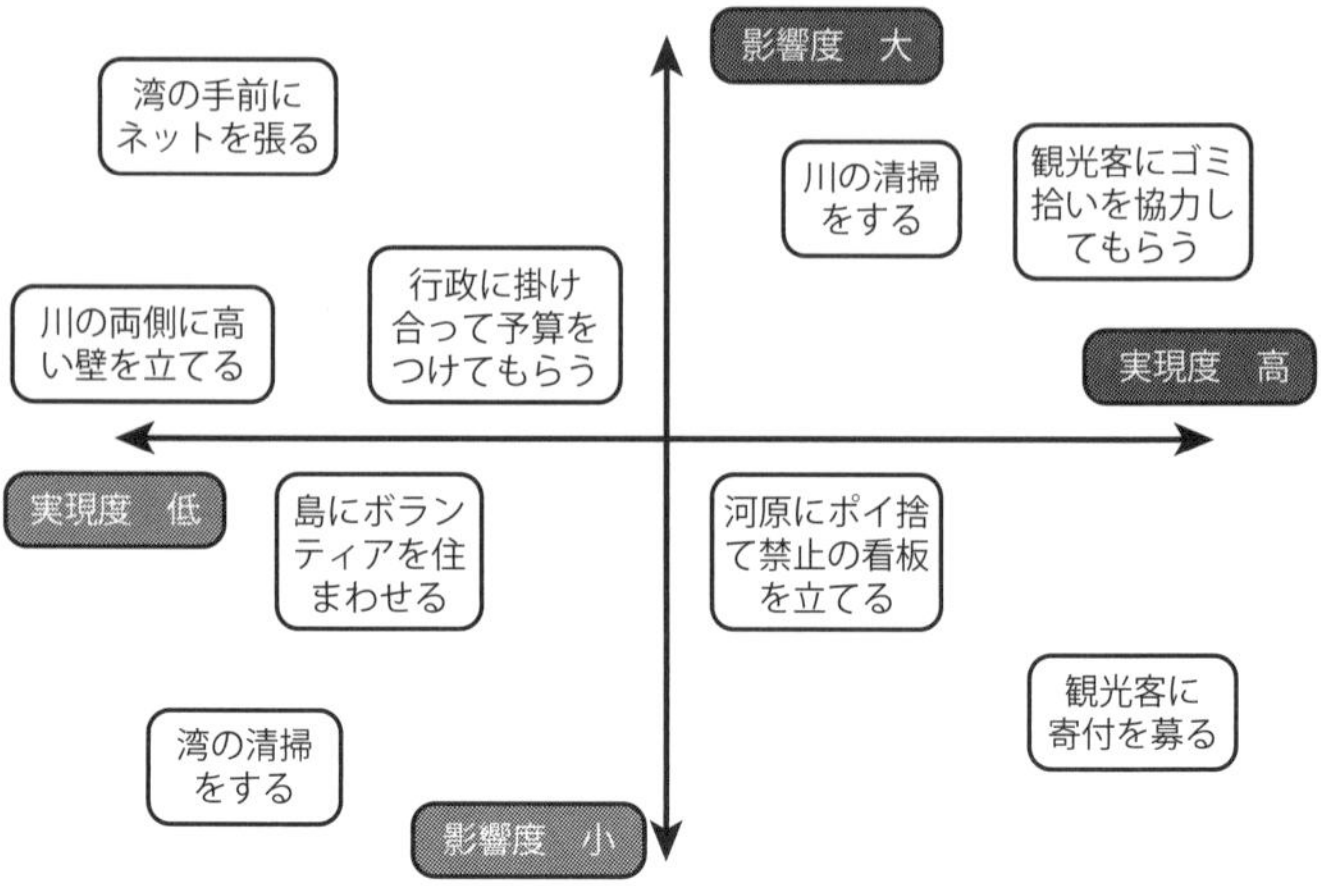

す。

解決策を選ぶ際のポイントとしては、**短期的な解決策と長期的な解決策の両方を検討**しましょう。

すぐにできるものから実施することも大切ですが、問題を本質的に解決するためには、ある程度時間がかかるような解決策を実施することも必要です。

また、このように**解決策を広げて検討し、選び取るときにも、人を巻き込んで実施することが大切**です。なぜなら、人を巻き込むことでその解決策を実施する際の協力も得られるからです。

実施に関しては、目標を決めます。そのためには、「SMARTの法則」を活用します。

ＳＭＡＲＴの法則で目標を明確化する

Specific	具体的なものであること
Measurable	測定できるものであること
Attractive	魅力的なものであること
Realistic	現実的であること
Time-bound	期限が明示されていること

たとえば、「観光客にゴミ拾いを協力してもらう」という解決策を実施するとしたら、まずは具体的に検討します。いつ・どこで・誰が・何を・なぜ・どのように・どれくらいを考えます。これが、**Specific（具体的に）**です。

たとえば、観光客に30分のゴミ拾いをやってくれたら、写真撮影用の特設セットの前で写真を撮れる整理券を配布する、お土産の割引券を配布するといった、何かしら協力したくなるような特典を準備するなど、具体的にします。

次に、**Measurable（測定可能な）**です。1人5つなのか、1キロなのか、1週間で10キロなのか、何かしら数値で目標を表します。

Attractive（魅力的な）というのは、行

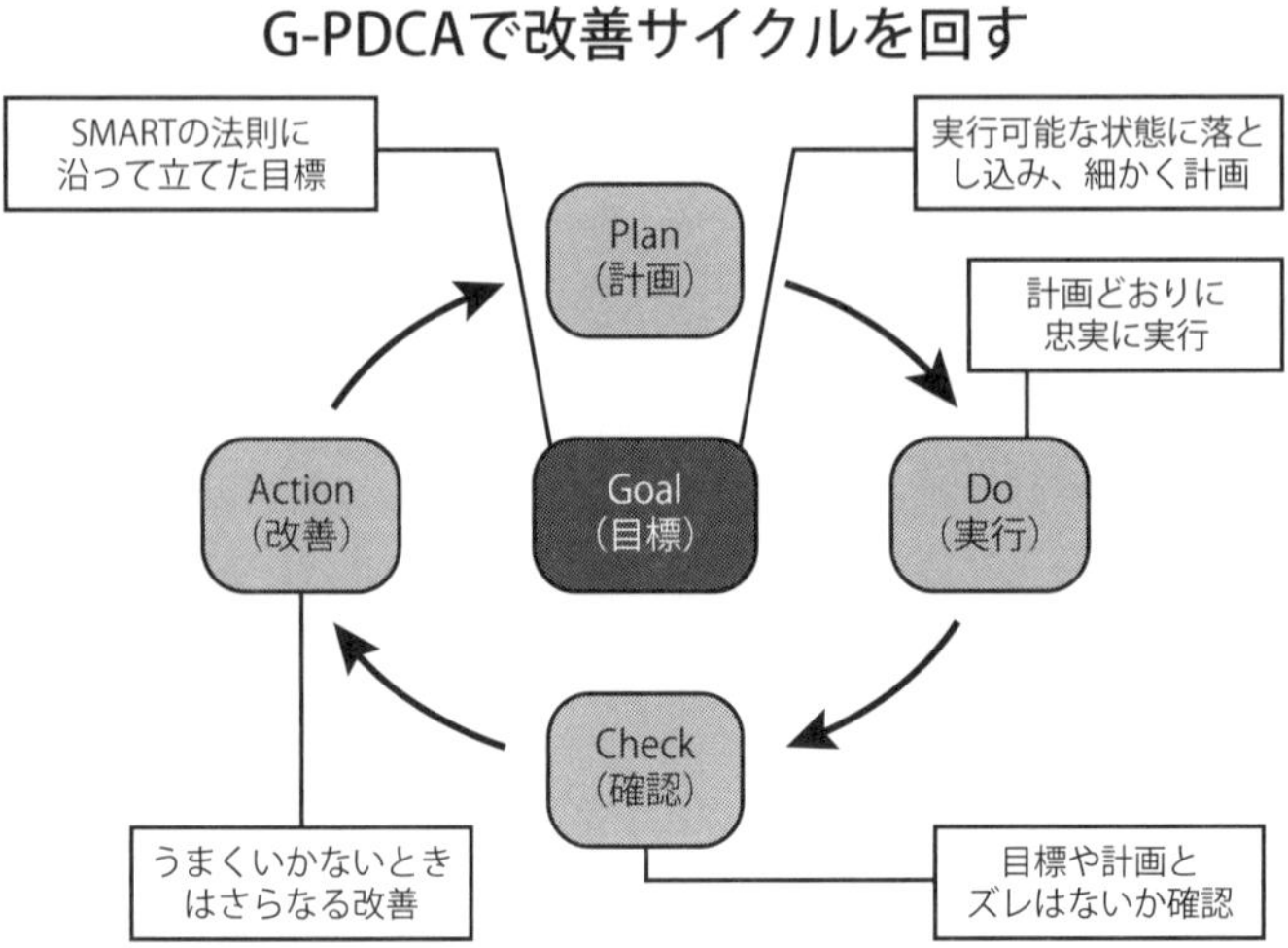

動する側が魅力的でなければ協力が得られません。協力することで得られるメリットを提示します。

島がきれいになったことで、どんな価値が得られるのかを明確にします。たとえば地元の新聞に掲載されるとか、夏休みの宿題にするとか。

Realistic（現実的な）とは、頑張れば手が届く程度の目標であることです。ゴミが1つもない状態は無理ですが、今、月に1度来てくれているボランティアが年に6回でも大丈夫、というくらいでいいかもしれません。

最後の**Time-bound**は、**期限が明示**されていることです。たとえば、1年間の活動をやってみるというように、いったん期限を設けて振り返りをすることが大切です。

このように、ＳＭＡＲＴの法則を活用して、魅力的な目標をつくります。特に、**人を巻き込む場合には、Attractiveを意識するといい**でしょう。協力をしてくれる人にも魅力的な目標にしておくと、協力を得られやすい状況をつくることが可能です。

このように解決策を多角的に考え、論理的に選び、目標を明確にして実行します。実行にあたっては、「ＰＤＣＡ」を意識しながら実行しますが、このときに真ん中にＧ（目標）を置き、その目標に対して計画はどうか、実行はどうか、確認をし、必要であれば改善をし、さらに計画に反映をするように実施します。次のステップで、Ｃ（確認）とＡ（改善）を説明します。

◆ステップ⑤：評価・監視する

最後のステップは、問題解決のプロセスがうまくいったのか、解決策が有効なのかを評価し、その後の業務がうまくいくかを監視するというものです。

問題解決による業務改善は、うまくいく場合もありますが、うまくいかない場合もあります。その場合、どうだったのかを振り返ることで次へのアクションにつながるため、結果はどうあれ評価することが大切です。

さらに、業務改善は通常業務ではなく、プロジェクト的に期間を決めて取り組むものです。したがって、改善が終わった後には、必ずその業務の責任者に変更後の業務プロセスを移管する必要があります。

自分自身がその業務の担当者であれば必要ありませんが、複数の人にかかわる業務の場合や、担当者が別にいる業務の場合には、変更後の業務がうまく機能するのかを監視し、何か問題があれば、いつでも業務改善前の業務プロセスに戻す必要があります。「終わりよければすべてよし」なので、評価や監視は外せないステップです。


たとえば、先ほどの友ヶ島の例で、「観光客にゴミ拾いを協力してもらう」ことで、どれだけ「ゴミを減らす」ことができたのか？　を評価する際には、「ステップ④：解決策を検討・実施する」で決めた目標と比較して、どうだったか？　どれくらいゴミの量が減ったのか？　ボランティアのゴミ拾いの回数は減ったのか？　などを改善前・改善後で比較します。

うまくいけば、このプロセスを継続的に実施できるように責任者に引き継ぎますし、うまくいかなかった場合には、別の解決策を実施するのか、もう一度解決策からやり直すかなど問題の再定義をするのかを決めます。

通常業務をしながら問題解決プロセスによる業務改善は大変ですが、５つのステップを意識することで、問題解決力が高まります。

一つずつやっていくことは難しい場合でも、今はどのステップにいるのかを考えながら問題解決にあたってください。

次の項目で、日常のエンジニアの業務での問題解決ステップの活かし方を考えてみましょう。

問題解決方法を、実際の仕事でどう活かすか

それでは、エンジニア目線で問題解決方法をどんなシーンで活かせるでしょうか？

まず、開発側のエンジニアであれば、まさに**顧客の問題を定義し、データを測定し、原因を分析し、解決策を検討し提案**します。そして、解決策を評価します。最後に業務がうまくいくかを監視します。

特に、顧客の問題を「あるべき姿」と「現状」を押さえて、そのギャップを「問題」として特定できるだけでも、かなり重宝されます。そして、その問題を解決できるソリューションをあなたの技術力をもって提供できれば、エンジニアとしての価値は高まります。

また、**データ測定については、VOC（顧客の声）を集めることで多くの顧客の問題を明確にし、原因を追及する**こともできます。

顧客を誰と定義するか？　どのようにその人たちの声を集めるか？　手間はかかりますが、その情報が手に入れば、多くの同じ問題をかかえる顧客に対しても訴求力の高い解決策を考え提供することができるようになります。

大がかりなアンケートでなくても、一人二人の顧客からヒアリングするところから始めてもいいでしょう。

さらに、**解決策を検討する際には多角的に行います**。いつもの決まり切った解決策ではなく、思いもよらない方法を検討するのです。それは一人では難しいので、色々な知見を持った人を集めて知恵を出し合います。

アイデアは質よりも量です。できるか、できないかを考えずに、とにかく数多く解決策を出してみましょう。最終的には、影響度と実現度で仕分ければいいのです。解決策は思い切って発想力を豊かに発散してみましょう。

もし、あなたが障害対応を担当することがあるのでしたら、それこそ「問題解決の5つのステップ」がそのまま役立ちます。障害はスムーズに解決しなければならないので、時間をかけることはできないかもしれませんが、ステップを意識して進めましょう。

まず、**問題を定義する際には顧客と対話をする**ことが大切です。問題が長期化するのは、相手の期待値（あるべき姿）を確認しないまま、現状把握に入ってしまうからです。ここのすり合わせをすることで、相手と優先順位についての合意が得られるため重要なのです。

次に、**速やかに短期的な解決策を提示し（回避策）、恒久策は時間がかかっても提供できること**を目指します。

また、**再発防止策を伝える**ことも大切です。それは、ステップ⑤の評価・監視のプロセスです。短期的なソリューションだけの提示で対応を終えてしまっていると、後日同じ問題が発生して、信頼を失うことになります。

時間がかかっても、必ず長期的なソリューションの提供もしくは再発防止策を検討し、伝えましょう。

それがたとえ、バージョンアップやシステムの改修であったとしても、誠意をもって伝えることが信頼関係構築にもつながります。

ただし、**できないことはできないと伝える**ことももときには大切です。問題解決のスキルは身を助けてくれますが、解決できない問題もあります。そうした場合には、組織としてどんな対応ができるか、誠意をもって顧客と向き合う勇気や謝罪のスキルも必要なのです。

このような例がありました。ある大手小売り企業の給与システムに不具合があり、担当

エンジニアは現地に呼ばれて、

「まだ直せないのか？　何でこんなことになっているんだ!!」

と叱られました。

するとそのエンジニアは「御社に提案した際、システムを二重化していただくようにお願いしましたが、それを聞いていただけなかったからです」と、はっきり言いました。

それを聞いた先方の役員は、トラブルが収束した直後にシステムを二重化することを決めてくれたのです。問題解決力と言うべきことをきちんと伝える勇気を持つことも、一流のエンジニアとしては大切なことです。

第4章

一流のエンジニアは、「情報収集力」に長けている

解説

自分の興味のある分野については深い知見を持っているエンジニアではありますが、興味のないことについては、まったく見向きもしないというエンジニアも多いのではないでしょうか。

ネットや技術書からだけの情報収集ではなく、**関係者から情報を聞き取るヒアリングのスキルや質問力があるエンジニアは伸びていきます**。

狭い人脈でよしとせず、人との付き合いを広げていくことで、あらゆる業界・業種・職種の人からビジネスのヒントをもらえるようになるというメリットもあります。

人付き合いと、その人から情報を仕入れる大切さとスキルを学びましょう。

一流のエンジニアに求められる「情報収集力」とは

「情報収集力」と聞いて、何を思い浮かべましたか？　ネット上で検索する際、いかにうまく欲しい情報が引き出せるようにキーワードを入力するか？　確かにそれもあると思いますが、本章で扱う**「情報収集力」とは、「人を経由して、欲しい情報を集める力」、もしくは「自分にとって必要だと気づいていなかったとしても、有益な情報を集める力」**のことです。

必要だと思って集めるのは、それほど難しくはありませんが、自分にとって必要だと気づいていないけれど、興味をもって調べていくうちに必要だった！　と気づくこともあります。どちらかというと後者の力は、意識してその機会を模索しなければ、偏った情報の持ち主になってしまいます。

狭い領域の情報だけを扱っていたほうが、意思決定もしやすいし、専門領域をつくりやすいというメリットはあります。しかし、偏った情報だけを扱っていると、結局は井の中の蛙になりがちです。ましてやそれがネットだけの世界の話であれば、なおのことです。

世の中には、異業界にも異業種にもすごい人がいて、どんな分野であっても人から直接聞く話には価値があります。それを**自分の技術を磨くためには必要ないとか、興味のないことに時間を取られるのは無駄だと思っていると、視野の狭いエンジニアになってしまいます。**どんな人の話からでも、自分の目的次第では学びになるのです。

かつての同僚で、今は日系のコンサルティング会社で役員をしている人がいますが、とにかく人の話を聞くのが上手なエンジニアでした。特にＩＴ業界以外のお客様からもかわいがられていたのですが、異業種の人の話をとにかく気持ちよく好奇心旺盛に聞くので、相手も乗って話をしてしまいます。

そして、彼はどんな役職の人とでも委縮することなく話ができ、遠慮せずに聞きにくいことも聞けるスキルを持っています。また、自分の分野の話になると、ズバッと適切なアドバイスもするのです。

ですから、立場の上の人からも一目置かれる存在になっていました。そのように様々な人と話をしていくことで、彼の中の事例が増え、今ではコンサルタントとしても様々な企業に出入りができるほどの知識と経験が蓄積されたわけです。

また、他のエンジニアの例ですが、とにかく**「現場・現物・現実」の三現主義**を貫いていました。トラブルが発生すると率先して現場に入り、障害が起きている機器を直接確認し、何が起きたか現実を調べて、最悪の状態を阻止するためにできることを提案します。とにかくフットワークが軽いため、顧客からの信頼も厚く、何か起きればすぐさま名前があがる存在感のあるエンジニアでした。

最近では電話やメール、さらにチャットなど、バーチャルな関係性になりがちな顧客との会話ですが、できるだけ、三現主義に沿って顧客との距離感を縮めて情報収集ができるエンジニアに価値があります。なぜなら、それができるエンジニアの数が減少傾向にあるからです。

人の話が最後まで聞けないエンジニアが勘違いしている3つの理由

情報収集は、できる限り直接関係者からできることが望ましいとお伝えしましたが、聞き方にも大切なポイントがあります。

それは何かといえば、「**話を最後まで聞く**」ことです。そんな簡単で当たり前のことが、なぜできないのでしょうか？

その理由は3つあります。

①自分のほうが詳しいから聞く必要はない
②人の話を聞いてしまうと、相手の事情を考慮しなくてはいけなくなる
③情報量が多くなると決断できなくなる

まず、1つ目の自分のほうが詳しいから聞く必要はないと思っているエンジニアについては、自分の技術力に自信があるからなのかもしれません。

でも、どれだけその分野に詳しくても、前後の文脈を読み違えると、いくら技術力が高くても問題が解決しない場合もあります。それは断片的な情報だけでは、顧客の真の問題を解決することはできないからです。

技術力だけでの勝負ではなく、顧客が何を求めているのか？　どんな影響があるのか？　など、相手に聞かなければわからないこともたくさんあります。

2つ目は、相手の話を聞いてしまうと、聞いてしまった相手の事情や条件を考慮しなくてはならなくなるから、聞きすぎないという判断をするエンジニアがいます。

しかし、そのように考えて独りよがりの対応をしたとしても、結果的には意味がありません。小手先の技術力だけで人を納得させようとしても、結局は顧客の満足は得られず、マイナス評価をされるか、期待通りではなかったということでやり直しになったりします。

それを繰り返していると、仕事ができないエンジニアという評価を下されることになります。

３つ目は、情報量が多くなると決断ができなくなると思っているエンジニアのパターンです。

確かに、情報量が多くなりすぎると、決断をすることが難しくなる場合もあります。そもそも情報収集をすることは判断材料を集めていることにもつながるため、情報量が多いと決断をするのに悩みます。

しかし、ある程度の情報をインプットしてから決断しなければ、決断そのものが間違ってしまう場合もあります。ですから、必要な情報を収集し、その優先順位もヒアリングすればいいのです。

以上の３パターンは、人の話が最後まで聞けないエンジニアの代表的な勘違いです。情報を遮断することで、自分が知っていることがすべてだと思えば、自分が優位に立てると思いがちですが、それは間違いです。大切な情報の見落としにつながることもありますので、とにかく人の話は最後まで聞きましょう。

また、話し手は聞き手の様子を観察しながら話しているものです。聞き手の熱意が伝われば、話し手は話そうと思っていたこと以外の大切な情報を与えてくれる可能性もあります。

逆に「この人、話聞いてないなぁ」と思うと、適当なところで話を切り上げられてしまいます。聞き手の態度が話し手にも影響を与えることは、ご経験からもおわかりだと思いますが、真剣に聞く態度で相手に臨めば、他の人には伝えないような情報まで伝えてくれる可能性もあります。

人は、最初からは本音を話しません。この人はどんな人なのか、この情報をこの人に伝えるとどうなるかを考えながら、情報の量や情報の質をコントロールしています。

特に**「オフレコで」「ここだけの話だけど」という情報をどこまで引き出せるかが、一流かそうではないかを分けるポイント**です。そして、その話が引き出せるのは、相手からの信頼を得られた人だけです。

メールやSNSでは、ここだけの話はしませんから、やはり誰も知らないような情報を得るためには、人から信頼される人になること、そしてそれは、直接会うからこそ得られることができるのです。

多くのエンジニアが避ける対面でのコミュニケーションを取ることが、情報収集の結果を分けるのです。

次の項目からは、実際に話を聞くためのスキルをお伝えしていきます。

情報収集に必要な「傾聴のスキル」を身につける

一般的に「きく」には、「聞く」（Hear）、「聴く」（Listen）、「訊く」（Ask）の３種類があると言われています。


「聞く」は、耳に入ってくる音が聞こえてくるという意味です。ですから、そこには聞こうとする聞き手の意思がない場合もあります。

一方、「聴く」は、自分から聴こうとする姿勢と意思があります。また、「訊く」というのは、尋ねるという意味です。情報収集のために、積極的に相手に質問をして考えを引き出すために広げたり深めたりすることです。３つの「きく」は場面に応じて「きき分ける」ことが大切です。

本項目では、主に「聴く」についてお伝えします。コーチングでは、「傾聴のスキル」ということで、管理職研修やクレーム研修などでも頻繁にお伝えしています。

まずは、**傾聴のＮＧとして「かさじぞうの法則」**をご紹介します。

「かぶせる」：人が話をしているときに、自分の話をかぶせる人はいませんか？「あ、そうそう。自分もそうだ」「あー、同じ同じ。私だってね……」などと人の話にかぶせて自分の話題にしてしまう人。

その人には悪気はないとしても、相手からすると「また持っていかれた」と感じ、後からその話題に戻すことはあきらめてしまいます。

「さえぎる」：人の話を途中でさえぎってしまう人もいます。「おまえの話はいいよ」「そんな話は聞きたくない」など、相手が話そうとしたことをさえぎってしまうと、その人は二度と同じ話をしようとはしてくれません。そうして、相手からの信頼を失うことになります。

「自分都合で解釈する」：相手がどういう意図で伝えているのかを読まず、自分の都合のいいように解釈をしてしまうことです。相手からは「そんなこと言ってないよ」「勝手に解釈しないでよ」と思われてしまうような、受け取り方をする人もいますね。

「いやいや、そんなことは言ってませんよ」と言い返してくれる人ならまだいいですが、

傾聴のＮＧ「かさじぞうの法則」

か　かぶせる

さ　さえぎる

じ　自分都合で解釈する

ぞ　ぞんざいに扱う

う　うまくかわす

黙って離れていく人も多いのです。

「ぞんざいに扱う」：これは技術力が高いエンジニアに最も多いパターンです。自分のほうが知っていると思えば、相手や相手の発言に敬意を払うことができず、大切には扱えないのです。

　相手の技術力が高くても低くても、そこだけを比較することに意味はありません。ですから、相手を大切に思って聴くことが大切です。

　そこで、「先ほどもお伝えしましたが……」「ご存じないようですので、説明しますが……」など、相手を下に見たような伝え方やバカにしたような表現はいりません。

「うまくかわす」：これもプライドが高いエンジニアにありがちです。エンジニアであっても、知らないことがあって当たり前です。知らないことを知らないと言えないと、結局はどんどん話がズレたり、後になればなるほど尋ねにくくなります。

相手の話をはぐらかすことなく、かわすことなく、しっかり聴いて、「わからないことはわからない」と伝えて、訊く勇気を持ちましょう。

ご自身で思い当たるものはありましたか？　研修の際、多くの受講者が「あー思い当たる」と深いため息をつくことが多いのですが、まずはご自身の傾向を知っておくだけでも、話の聴き方が変わってきます。

続いて、**「傾聴のスキル」を、今度は「あいしあうの法則」**でお伝えします。

「相手に意識の矢印を向ける」：通常、話を聞くときには、意識の矢印は相手に向いたり、自分に向いたりしています。特に、「アドバイスしてやろう」と思った瞬間、意識の矢印が自分に向きます。

つまり、アドバイスのための情報収集をしだすのです。「その人は、何歳くらい？」「男なの？　女なの？」「それでその後どうなったの？」など、周辺情報を聞き出して「それなら、こうしたら？」「だから、そういう場合は……」などアドバイスしてしまいます。

相手に意識の矢印を向けるというのは、自分がアドバイスをするためではなく、相手がどんな状況にあるのか、どう感じているのかを相手を主役にして聴いてあげることが大切なのです。意識の矢印を自分ではなく、相手に向けるイメージを持ってください。

「意図を探る」：相手は、言いたいことを１００％言えているとは限りません。「相手が本当に言いたいことは何なのか？」「言っていることは本心からなのか？」など、相手を観察しながら、本当に相手が言いたいことは何なのかを探りながら聴くことも大切です。矢印は相手に向けたままです。

「姿勢を整える」：人の話を聴くときに、パソコンの画面に向かいながら「聴いてるから大丈夫」と言う人がいますが、絶対に無理です。また、相手からすると聴いてもらっている気がしません。人の話を聴くときには、相手の目を見て、表情に気をつけて、前傾姿勢で話を聴きましょう。

「あいづちを打つ」：あいづちは、相手に共感を伝えるための合図です。「はい」「そうですね」「ありがとうございます」「おかげさまで」「すばらしい」「それはありがたい」「助かります」「すごいです」「尊敬します」「他には」「それから」など、肯定的にテンポよく

傾聴のスキル「あいしあうの法則」

- **あ**　相手に意識の矢印を向ける
- **い**　意図を探る
- **し**　姿勢を整える
- **あ**　あいづちを打つ
- **う**　うなずく

あいづちを打つことが大切です。

タイミングとしては、句読点の句点（。）の際に、一つ入れると会話が弾みます。特に電話の場合には意識して入れてください。電話の相手からは、うなずきは見えないため、声に出して反応することで聴いてもらえた感が得られます。

ちなみに「なるほど」を多用する人が増えています。「なるほど、なるほど、なるほどですね」などと、なるほどに「です」までつけるような人もいますが、本当に納得して、ぐうの音も出ないときに初めて「なるほど」と言うのが正しい使い方です。

「うなずく」：うなずきも大切な傾聴のスキルです。小刻みに打つのではなく、しっかり縦にこくりとうなずきます。小さく何度もうんうんとうなずく人もいますが、あまり共感してもらっている感じがしません。「なるほど、そうですか」とこっくりうなずくと、しっかり聴いている感じが伝わります。

以上、**「あいしあうの法則」ですが、上の2つは意識で、下の3つは形**です。意識は相手からは見えにくいので、まずは形から入ってもいいでしょう。姿勢・あいづち・うなずきだけでも試してみると、相手にはちゃんと聴いている感じは伝わります。ぜひ、トライしてみてください。

日常生活で傾聴力を高める方法とは

傾聴のＮＧの「かさじぞうの法則」と、傾聴のスキルである「あいしあうの法則」をご紹介しました。これらは、特別なトレーニングが必要なわけではなく、日常の様々なシーンで鍛えることができます。

まずは、**「かさじぞうの法則」のどれが自分のやりがちなパターンなのかを知っておくことが大切**です。とにかく、傾聴をすると決めたら、人の話にかぶせてもさえぎってもいけません！

もちろん、ビジネス上では、結論から言うべきだと部下や後輩に指導するシーンもあることでしょう。その場合には、かぶせたり、さえぎったりする場合はあるかもしれません。しかし、その際にはしっかり指導のためだと伝えたうえで、話を組み立て直させましょう。また、自分都合で解釈する、ぞんざいに扱わない、うまくかわすことはないように誠実に話を聴くことを意識してください。自分の傾向がわかれば、改善の余地はあります。悪い癖を見つけたらやめていけばいいのです。

他にも、**傾聴のNGパターンとしては、「表情と姿勢」**です。

表情は自分ではなかなか気づきにくいですが、眉間にしわを寄せる癖がある人、目がにらみつけるように怖い人、口角が下がっている人、要注意です！

顔の表情は、筋肉を動かしてつくっています。ですから、トレーニングをすれば変わります。

まずは、動きやすい口角を上げる練習をしましょう。トイレで手を洗うタイミングに、目の前にある鏡に向かってニコッと笑ってみてください。

また、姿勢は腕組み、足組みをやめて、少し前傾姿勢を取ります。「お話を伺わせていただきます」という気持ちを姿勢で表せば、ずいぶん話しやすい雰囲気になります。

悪気はなく、ついつい真剣になればなるほど、怖い表情になってしまう人も、姿勢が横柄になってしまう人もいます。まずは、自分のスタイルをチェックするところから始めましょう。

傾聴のスキル「かおよしの法則」

続いて、「あいしあうの法則」以外にも有効なスキルをお伝えします。少しハードルが高いですが、うまくできれば効果は高いので、できるところからチャレンジしてみてください。スキル名は**「かおよしの法則」**です。

「感情の反射」：相手の感じている感情を言葉にするやり方です。「それは悲しかったね」「それは悔しい気持ちだったね」など、相手が感じているであろう感情を本人の代わりに言葉にするので、外れたときにはダメージがあります。しかし、うまく表現できたときには非常にパワフルです。

「オウム返し」：相手の話のポイントになるキーワードを一言繰り返します。「システムダウンですね」「完了したんですね」などと、一文の中でも特にこれが大事だと思う言葉を正確に繰り返すだけのシンプルなスキルです。

しかし、キーワードではない個所を繰り返してしまわないように、配慮が必要です。慣れるまでは、話しているうちに何度か出てくる言葉を繰り返してみましょう。

「要約」：ある程度、話を聴いていると、相手の言いたいことが自分の中で徐々にまとまってきます。「つまり、こういうことだよね」という内容がまとまったら、「○○さんが今考えていることは、○○が△△ということなんだね」と要約して伝えてあげます。「そうなんです！」と相手が同意してくれれば、成功です。うまくいくと一気に距離が縮まります。

「焦点」：話があれこれと飛びがちな人に有効なスキルです。いくつか出てきているテーマの中でも、このテーマだと焦点を当てて話を絞ります。「色々テーマが出てきたけれど、

○○の話から聴こうか？」と提案するか、「○○、△△、□□という話が出てきたけれど、どれから整理していく？」と相手にゆだねてもいいでしょう。

特に**「かおよしの法則」は、プライベートの場面で練習をするといいでしょう。**たとえば、友人の悩み相談、家族のその日にあったことを聴くとき、特に話がまとまっていないような人の話を聴くときに意識して使うと練習になります。

結論を出そうとせずに、ただただ聴くことに集中しましょう。最初はうまくいかなくても、徐々にスキルは使えるようになります。うまくできるようになったら、仕事でも使ってみてください。

情報収集力を高めるために、傾聴についてお伝えしてきましたが、人は自分の話を聴いてほしい、認めてほしい、わかってほしいという欲求が強いものです。

その人の中に眠っている情報を引き出すことで、文字では伝わらないような内面的な情報を集めることができるうえに、信頼関係を構築することもできるのです。ぜひ、**傾聴のスキルを使って情報収集と信頼関係の両方を手に入れてください。**

「質問」を上手に活用して、聞きたいことを聞き出す

傾聴についてお伝えしてきましたが、**情報収集力をさらに向上させるために必要なのは「質問」のスキル**です。

人は、一日に3万回とも6万回とも言われるくらい質問をしているそうです。朝目が覚めてから「そろそろ起きる？　もう少し寝る？　朝何食べよう？」など、自問自答も含めて一日何万回も質問していたとしても、その質問はただ頭に浮かんだことだったりするのではないでしょうか？

せっかく質問のチャンスが数万回もあるのであれば、うまく活用しない手はありません。情報収集力を高めると同時に、質問をご自身のコミュニケーションの武器にしていきましょう。

まずは、一般的な質問の種類からお伝えします。どこかで聞いたことはあると思いますが、いったん整理しておきましょう。

質問には、「特定質問」（Closed Question）と「限定質問」（Limited Question）、「拡大

3つの質問で情報収集力を高める

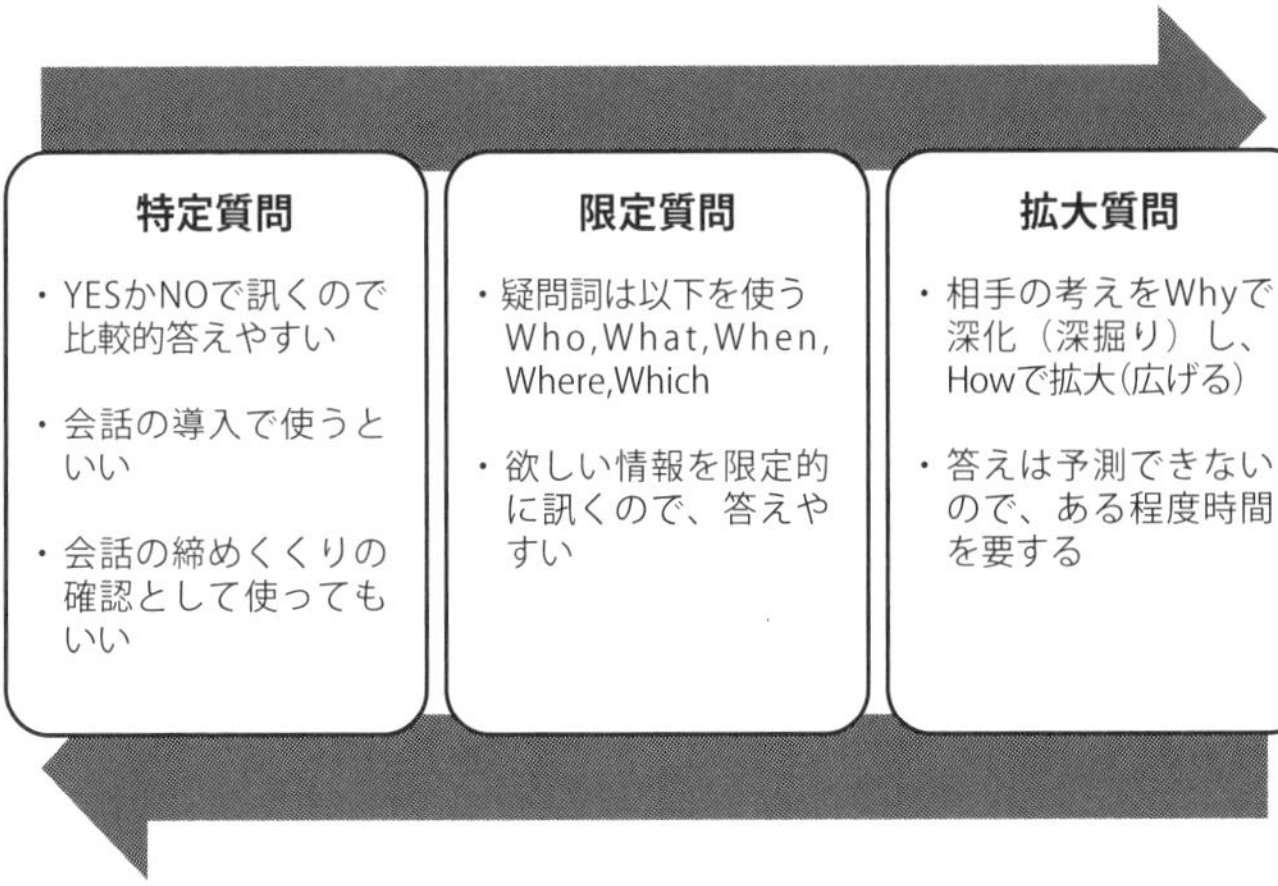
特定質問
・YESかNOで訊くので比較的答えやすい
・会話の導入で使うといい
・会話の締めくくりの確認として使ってもいい
限定質問
・疑問詞は以下を使う Who,What,When,Where,Which
・欲しい情報を限定的に訊くので、答えやすい
拡大質問
・相手の考えをWhyで深化（深掘り）し、Howで拡大（広げる）
・答えは予測できないので、ある程度時間を要する

質問」（Open Question）の3通りあります。それぞれ特徴をまとめておきましたので、図を参考にしてください。

左から順番に会話を展開していくとスムーズですが、いったん広げた質問を再度限定し、特定していく場合もあるので、拡大質問までいったら、逆に右から左に戻る場合もあります。

ある程度は質問のバリエーションがあるほうが自然な会話になります。たとえば、特定質問ばかりで訊かれると、話し手は自由がないので、窮屈な会話になります。

また、限定質問ばかりだと刑事の尋問のような会話になります。拡大質問だけでも、どんな答えが返ってくるかわからず、場合によっては情報量が膨大になるため、質問をする際には、会話の目的と大まかな流れを準備しておくといいでしょう。

【会話例】


お問い合わせでしょうか？（特定質問）―はい。

ご契約はお持ちですか？（特定質問）―はい。

障害が発生したのはいつでしょうか？（限定質問）―1時間前です。

どこで発生しましたか？（限定質問）―弊社のサーバールームです。

現在どのような状況でしょうか？（拡大質問）―エラーメッセージが表示され、その後画面がフリーズしています。その後、電源を入れ直しましたが、画面は真っ暗なままで立ち上がってきません。


次に、**「過去質問」と「未来質問」**という、2つの質問をご紹介します。

「なぜ？」の質問を繰り返して、問題の原因を深掘りするという思考法は有名です。対象を物やプロセスに向ければ、原因に行き着くので非常に有効です。

しかし、**「なぜ？」という質問を人に向けると、言い訳しか出てきません。**

「なぜ遅刻したの？」↓「寝坊をしたから」、「なぜ寝坊をしたの？」↓「夜更かしをしたから」、「なぜ夜更かしをしたの？」↓「遅くまでゲームをしてたから」。

質問の使い分け

過去質問

Why

・「なぜ?」と理由を訊く質問
・対象は物やプロセスに向ける
・人に向けると言い訳しか出ない

未来質問

How

・「どのように?」とやり方を訊く質問
・対象は人で、可能性を広げて考えさせる

このように、なかなか解決には向かいません。そして、**「なぜ?」と問われると人は思考が過去に向かう**のです。

一方、**「どのように?」「どうしたら?」と問われると、人はできることが前提で考えるため、思考は未来に向かい、解決策を考えようとする**のです。

「どうしたら遅刻しないと思う?」→「早く寝る」、「どうしたら早く寝られると思う?」→「規則正しい生活をする」、「どうしたら規則正しい生活ができると思う?」→「夜寝る時間を決める」などと聞いたうえで、具体的に何時に寝ることにするのかを尋ねればいいのです。

これらの、2つの質問も上手に使い分け

ることにより、情報収集の質が高まります。特に、過去質問で人を追い詰めてしまうことは、よくあることです。思考を過去に向けるか未来に向けるか、疑問詞を変えることによって返ってくる答えが変わってくるのであれば、意識して質問したいですね。

ビジネスでの会話の流れであれば、まずは関係構築があって、テーマに沿って事実把握をして、相手の考えを聞いて、お互いの行動を決めて促すような流れになると思います。たとえば、システムの仕様を決める場合でも、障害対応であっても、おおまかな流れは同じです。どちらの場合であっても、**①事実把握、②相手の考えを確認、③具体的な行動を明確化**の３つには必ず質問のスキルが必要になります。

①と③は完璧にやるのですが、**②の相手の考えを確認するところが弱いエンジニアが多い**印象があります。いかがでしょうか？

相手がどう考えているのか？　相手の優先順位はどうなっているのか？　ここをしっかり引き出さずに、技術の高さで相手を封じ込めようとすると、結局は最後に不満が残り、後から相手は聞いてないというクレームになる場合も多いのです。

事実把握ができた後には、相手はどう考えているのか？　何を望んでいるのか？　をきちんと言語化させ、相手の考えを引き出しておくことで、結果的には、こちらの手の内も増えて相手の満足度も高くなるのです。

情報収集のための質問ですが、様々な種類がありますので、会話の目的や流れを考えたうえで適切な質問を繰り出せるように日々練習をしてみてください。

思った以上に相手の考えを引き出せて、その結果、エンジニアとしての仕事もやりやすくなるはずです。できるところから取り入れてみてください。

第5章

一流のエンジニアは、「顧客心理推察力と状況察知力」が高い

解説

普通のエンジニアは、自分の技術向上には興味があるものの、顧客の感情や顧客のビジネスの状況には興味がない人が多いように見受けられます。だからこそ、そこにはエンジニアとして差別化できるチャンスがあります。

たとえば、障害が起きているシステムの担当者は、首が飛ぶかもしれないと不安にかられた上司から怒鳴られる恐怖を味わっているかもしれないのです。

また、状況としては、復旧しなければ新聞沙汰になるかもしれないなどの状況下で、連絡をしている可能性だってあります。そのような**顧客心理や相手の状況を想像できるエンジニアにこそ価値があります**。

本章では、心理と状況を把握するための想像力を鍛えるトレーニング法をお伝えします。

一流のエンジニアに必要な「想像力」とは何か

通常、事実情報を扱うことが多いエンジニアの仕事ですが、集まる情報がいつも完璧に揃っているとは限りません。特に、知識レベルや業界常識に差がある人と会話をする場合には当たり前のレベルが異なるため、次の３つのことに注意をしながら情報を探る必要があります。

●視点

何かを見る際に、どこに焦点を当てて見ているかです。木を見るときに花を中心に見るのか、葉の形を見るのか、枝ぶりを見るのかによって見え方が変わってきます。

また、顧客視点に代表されるような、他者の立場からの物の見方を言います。サービス提供側から見た場合とサービスを受ける側から見た場合とでは、同じものを見ても見え方が変わります。

●視野

視点・視野・視座の３つの見方で想像力を高める

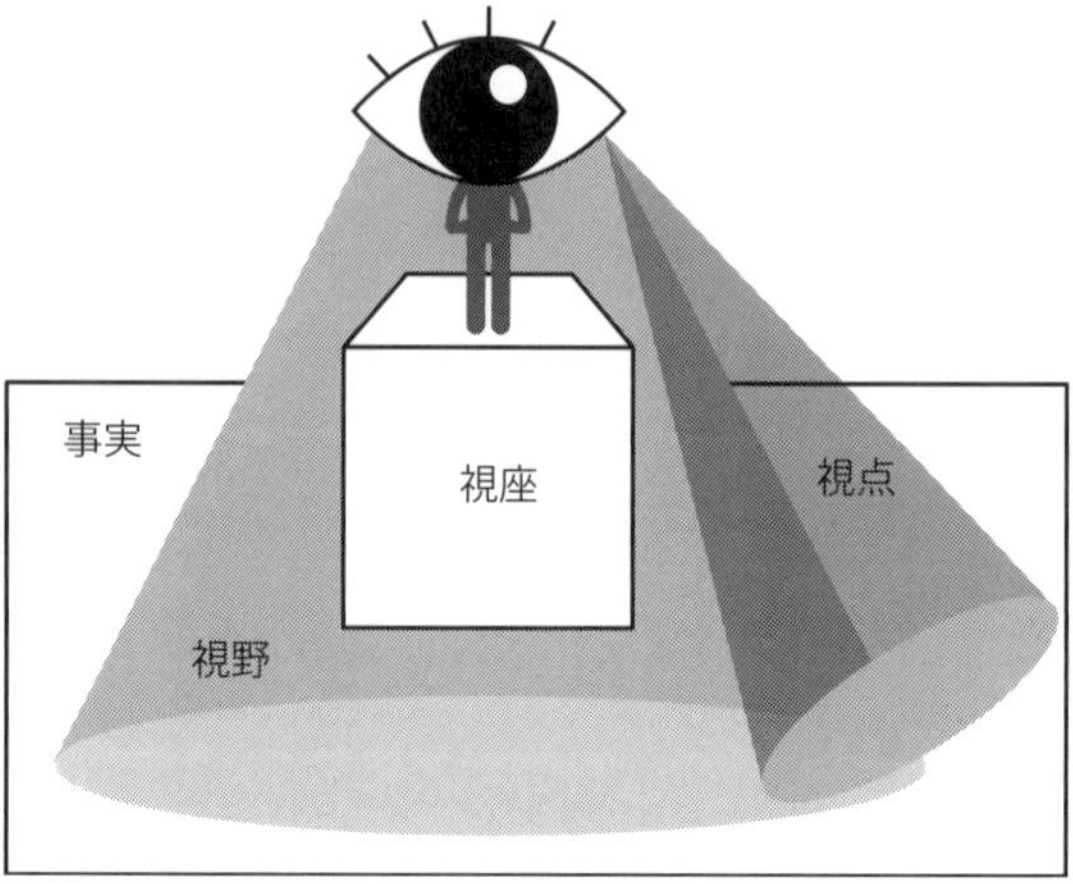

見える範囲のことを言います。自分を中心に30度の範囲なのか、90度なのか、270度なのか、どこまでの範囲が見えているかによっても情報量はずいぶん変わります。
狭い範囲で目に入る木を見るのか、広い視野で森を見るのかということです。開発までの工程を見るのと、製品のライフサイクルまで見据えて見るのとでは全く見る範囲が変わってきます。

●視座
どの高さから物を見ているかです。森の中から木を見上げるのか、高い崖から森を見下げるのか、見える景色が全く違いますね。たとえば、部の代表として会議に出席した場合には部長の視座で物を見るのではないでしょうか。

一エンジニアとしてではなく、経営者の視座を意識するとどこまで見たらいいか、どんな情報が必要なのかもずいぶん違ってくることでしょう。

起きている出来事を観察する際、自分の見ているものがすべてではないわけです。物事には必ず死角があり、全体が見えていない可能性があります。また、人には思い込みによって見えていないものも見えているつもりになってしまう場合もあります。

見落としはないか？　抜け漏れはないか？　それは事実なのか？　視点を複数持ち、視野を広く、視座を高くしていなければ、大切な情報を見落としていることもあります。

そこで必要になるのが、**「想像力」**です。事実と事実をつなぎ合わせて見えない部分を想像してみる。仮説を立てて質問をしてさらなる情報を収集する。それを繰り返すことで、事実の範囲が広がってくるのです。**仮説を立てるときに必要になるのが、想像力**です。

事実については得意なエンジニアも多いと思います。今までの経験や技術的な知識を基に仮説検証をしていくことができます。

システムの仕様を決める場合、サービスレベルを決める場合、製品品質を確認しテスト項目を決める場合、障害対応で被疑個所を特定していく場合などがこれに当たります。いずれのケースも今までの経験や知識から想像して、仮説を立て、うまくできることでしょ

断片的な事実を集め、仮説を立て質問する

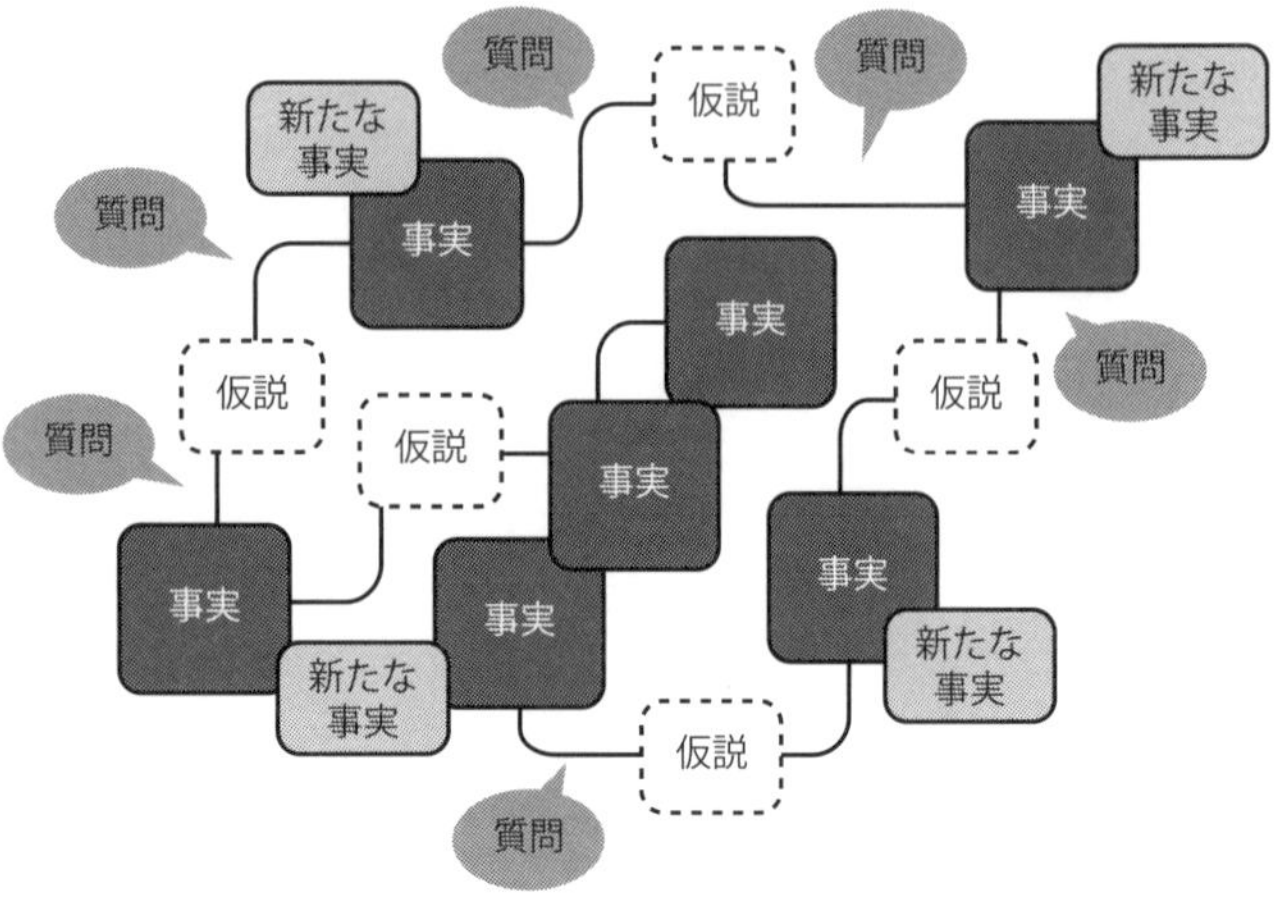

う。

一方、**多くのエンジニアの苦手な領域は、「顧客の心理を推察する」ことと、「状況から察知する」こと**です。

苦手であるという自覚があるエンジニアもいると思いますが、意識的に必要はないと思っている人もいます。

ある企業での研修でこんなことがありました。エンジニア向けのコミュニケーション研修で「心理的アプローチが必要です」と言った途端に、一人の受講者が「先生、心理とか面倒くさいんですけど」と言ってきたのです。

私は、「『面倒くさい』というのはあなたの心理ではないですか？」と訊くと、そのエンジニアは「はっ」とした表情になり、その後、真剣に受講していました。

相手の感情や相手の状況など情報を仕入れてしまうと、論理的な判断が鈍ると思っている人もいるようですが、情報は仕入れたうえで、どう表現すればわかってもらえるのかを考えたほうが、結果的には自分にとっても相手にとってもいい提案ができます。そのためにも、顧客心理推察力と状況察知力が必要になるのです。

顧客を理解し共感するための「顧客心理推察力」を身につける

前項で顧客心理推察力が必要とお伝えしましたが、顧客とは誰を指すのかというと第１章でもお伝えしたとおり、「すべての利害関係者」だと思ってください。

では、心理とは何でしょうか？　簡単に言うと「気持ちや感情、心の動きや働き」のことです。

研修では、ワークとして「心理的な要素と論理的な要素」の両方をチームで出していただきます。

発表は１チーム１つずつ読み上げてもらいますが、出ても20個くらいです。３つくらい出して、早々にパスをするチームもあります。

心理的な要素としては「笑顔・表情・挨拶・姿勢・声のトーン・怒り・焦り……」などの感情を表す言葉もＯＫなので、本来は無限に出てもおかしくないのですが、改めてどんなことが人の心理に影響する要素なのかを出してもらおうとすると、なかなか数が出てきません。

論理的な要素としては「データ・ロジック・エビデンス・エラーメッセージ・数字・理屈・マニュアル・裏付け・説明・結論……」など、こちらは順調に出てくる場合が多いです。


エンジニアとしては、いつも論理的な要素に気を配り、わかりやすく伝えることは意識していることでしょう。

しかし、自分の言動や態度が心理的に相手にどう影響するか、相手の感情や心の動きに配慮をしながら伝え方を変えるところには、なかなか意識が向きにくいのです。

もし、そこを意識してうまくコミュニケーションが取れるようになれば、価値の高いエンジニアとして様々なシーンで選ばれていくことでしょう。

では、具体的にはどう顧客心理推察力を高めていったらいいでしょうか？　先程の項目でお伝えした①**視点を複数持つ**、②**視野を広く持つ**、③**視座を高く持つ**ことです。

視点であれば、他の人の立場から起きた出来事がもしも自分であったらどうするか？という他者の視点があります。

時間的な視点はどうでしょうか？　過去・現在・未来という視点もあります。

さらに、「もしも○○の立場だったら物事がどう見えるのか」ということを心理面を中心に想像してみることで、顧客心理推察力が高まります。

視野は、たとえば場所の範囲ということもあるでしょう。都市部だったらどうなのか？アジアの他の国だったら？　欧米だったらどうか？　など視野を広げ、そこにいる人の気持ちを想像することも大切です。

視座は、社内なら上司になって考えてみる。顧客の上司や経営層、業界のトップだとどう考える。などと、高いところに登ってみる形式を、人の心の動きを中心に想像してみましょう。

そんなことに意味があるのだろうか？　と思われる人もいるかもしれませんが、論理的に考え対応することも大切ですが、**重要なことの意思決定はやはり人です**。そこに心理的な要素が少なからず影響しています。

少しでもポジティブな印象を残せる可能性があれば、相手の心理的な要素に少しでも触れるような対応ができれば、**相手の印象に残る**でしょう。

また、相手の感情を快にすることができれば、**社内の人を説得するための応援者になってくれる**可能性だってあります。

元同僚で、今は外資系ＩＴ企業で１００人以上のエンジニアのマネージャをしている人は、技術力が高かったのは当たり前で、顧客心理推察力が非常に高い人でした。怒っている顧客との会議でも、すぐさま相手の懐に入るようなコミュニケーションで心をつかんでしまうのです。

たとえば、緊迫した障害対策会議の席上、クライアント・システムインテグレータ・複数のベンダーなどがいるところで、「みなさんも、こんな意味のない会議は無駄だと思いませんか？」などと、参加者全員の心理を言い当てました。

そして、「あっちが悪いこっちが悪いと責任を押し付け合うことをやめて、解決のために知恵を出しませんか？」と提案しました。その後、解決に向かうための建設的な話し合いができ、解決までのスピードが速かったことは言うまでもありません。

この例は極端ですが、**相手が何を感じているのかを推察し、多くの人が感じていることを伝えて共感を引き出し（心理的な要素）、何をすることが解決への近道なのか？（論理的な要素）を考えて提案したほうが物事は前進します。**

また、顧客の心理がどう働いているのか？　何を恐れているのか？　どんな感情を抱えているのか？　を推察できれば、自分にも自然な共感の気持ちが湧いてきますし、それがあれば相手からもより多くの情報を収集できて、結果的にはより的確な解決に向けての提案ができるようになるのです。

顧客の置かれた状況を感じ取る「状況察知力」を身につける

一流のエンジニアには、顧客心理を推察するのと同時に、状況を察知する力も必要になります。対面であっても、電話であっても、メールやチャットであっても、**相手の置かれている状況を察知することはエンジニアにとって非常に大切な力**です。

相手が目の前にいたとしても、相手がすべての情報を話してくれるわけではありません。恐らく断片的な情報で自分にとって有利になる情報は伝えるとしても、不利に働く情報を最初から伝えてくれるとは限りません。

また、たくさんある情報の中から、何を高い優先順位で選び取っているのかは、個人的な基準であることが多いのです。その偏った情報からだけで動いてしまうと、思いもよらない落とし穴にはまってしまうこともあります。

そのためには、**相手の状況を察知することが大切**です。**察知とは、見聞きした情報から推して知る**ことです。うまくいっているのか、うまくいっていないのか？　何が足りていて何が足りていないのか？　あくまでも状況です。

そして、状況は刻一刻と変わるので、言葉にならないことも含めて想像しながら話を聴くことが大切です。

モバイル系のヘルプデスクの研修で、こんなワークをします。

「電車に鞄を忘れてしまいました！　と電話がかかってきました。どんな状況が考えられますか？　想像力逞しく考えてみましょう」

それだけの設定です。

たとえば、うちのヘルプデスクに電話がかかってくるのであれば、「鞄には社用携帯が入っていたのかな？」「電車を降りた直後かな？」「駅員さんには聞いたかな？」「顧客情報が入っているようなら、情報漏洩も心配だね」「会社に報告はしたかな？」「紛失したのは携帯じゃなくて、タブレットかもしれないね」などなど、たくさん想像ができればＯＫです。このように、いかに細かく具体的に想像できるかが大切なのです。

その後、仮説を立て、検証のための具体的な質問を考えてもらいます。いつ・どこで・

誰が・なぜ・何を・どのくらいなど、抜け漏れなく質問を準備できれば、ロールプレイングで練習をします。

その際、顧客役・エンジニア役という役割を決めます。顧客役は、「電車に鞄を忘れてしまいました！」と、焦った調子で電話をするところからスタートします。

その後は、相手の話を聴いて見えない相手の状況を想像しながら質問をして、最終的にはお客様が安心して電話を切れるところまでやりとりを続けます。

このワークでは、**「傾聴力・想像力・質問力」の３つが必要**です。それらが日ごろから鍛えられているのか、それとも言われたことに対して一問一答で対応するのか、でずいぶん変わります。

たまに、「それは交番に問い合わせてください」と言って終えようとするエンジニアもいますが、そもそも、そのヘルプデスクに電話をしてきたお客様の状況を察知すれば、ヘルプデスク契約があるから困って頼ってきてくれていることがわかりますよね。

そこをまったく想像することなくスルーされたら、本物のお客様はさぞかしがっかりし、さらには怒りすら感じることでしょう。

一流のエンジニアには、顧客心理推察力も状況察知力も、どちらも必要です。そして、その力を発揮したうえで仮説を立て、仮説を検証するために質問を準備して、さらなる情報収集を行います。

様々な情報は、「感知する力」を磨くことで集まる

エンジニアにとって「顧客心理推察力」と「状況察知力」が大切なことはご理解いただけたと思いますが、この2つをさらに鍛えるために日常できることをお伝えします。そして、この2つの力が磨かれれば、あなたの仕事上どんな良いことがあるのかを想像しながらお読みください。

「顧客心理推察力」「状況察知力」とともに必要になってくるのは、**「感知する力」**です。人の身体にある**「五感（視覚・聴覚・嗅覚・味覚・触覚）」を使って情報を集める**ことで、感覚が鋭くなってきます。

たとえば納得していなそうな顔、自信のない言葉の語尾、マシンが発している異臭、今日の食事の味の感じ方、機材が熱を持っている、などなど。5つの感覚を研ぎ澄ませることで、様々な情報を集めることができます。

人にも意識を向け、状況にも意識を向けるのは、困難な状況に陥ったときにいきなり使おうとしても、使えるものではありません。**リラックスしている日常から意識して鍛えていると、徐々に感覚が鋭くなってきます。**

私は８年間、コールセンターで障害対応の電話を受けていました。実務は４年で、あとはオペレーターの教育と管理をしていましたが、聴覚だけで情報を得ることを長年してきたため、相手の声の調子や話すスピード、抑揚などから、ある程度の相手の様子を推察することができます。

怒っているのか、元々そういう話し方なのか、プレッシャーがかかっている状態なのかなど、**相手が見えない状況では想像するしかない**のです。

しかし、コールセンター業務を終え、対面での交渉をするような業務に就いたとき、顧客の感情が目で観察して手に取るようにわかることで、なんと多くの情報が得られるのだろうと、交渉のためのネタがたくさん手に入るので感動しました。

最近では、コミュニケーションの方法が対面から電話、さらにメールからチャット、電話会議システムからビデオ会議システムと多様化する選択肢の中、効率化と情報収集の質と量を比較しながら最適な方法でツールを選ぶことです。

いつも、メールやチャットだけだと関係性も希薄になります。ときには、声を聞いて話すこと顔を見て話すことで、こじれていた案件が先に進むこともあるでしょう。迷ったら、できるだけリアルに双方向で会話ができる方法を選択してみましょう。

人の話を聴く機会を増やすことで「顧客心理推察力」が鍛えられる

では、具体的に「顧客心理推察力」を鍛えるためにはどうしたらいいでしょうか？　そのためには、とにかく、**人の話を聴く機会を増やす**ことです。

一対一もいいですが、**関係者が多い会議などは絶好の観察のチャンス**です。

誰と誰の利害がぶつかっているのか、相手に好意を持っているのか敵対視しているのか、パワーバランスがどうなっているのか。

また、どのテーマには興味があって、どのテーマにはないとか、優先順位が品質よりもコストなんだなとか、組織のゴール達成よりも個人的に負けたくないという気持ちが強いんだな、など、あらゆる情報が手に入ります。飲み会でも同じことです。

ただ、相手の心理面にスポットライトを当てて観察するだけなので、意識をすればすぐにでもできますね。

また、家族や友人との会話、電車の中での乗客の会話、映画やドラマのやりとりなど、どんなシーンでも人の心理を推察することは可能です。

合っているか間違っているかは問題ではなく、こうかもしれない、ああかもしれないと、想像力を働かせて推察することで、いくつかのシナリオが浮かびます。そしてそれが、顧客心理推察力を高めるために大切なのです。

過去から未来を推察することで「状況察知力」を伸ばす

次に、「状況察知力」を伸ばすにはどうしたらいいでしょうか?

状況には自分と相手、社内と社外など、考えなければならない状況は自分のことだけではありません。

まずは、**何の状況を知ればいいのか、対象をはっきりさせ、そのうえで、こちらも観察をし続ける**ことです。

状況とは、そのとき、その場の様子やありさまです。ですから、それをつぶさに観察し、今の事象に至るまでに何があったのか? だから、今こうなっていて、この先どうなっていくのか？　という、**「過去⬇現在⬇未来」がどうつながっていくかを察する**ことができるといいでしょう。

たとえば、今起きている事象は過去の何が原因なのか？　これを放置するとどうなるのか？　などを想像することも大切です。経験値がたまれば、状況を察知する力も精度が高まります。

自分なりの仮説を立てたら、決めつけでなく、実際に何があったのか？　どうしたいのか？　を聞き出すこともスキルとして重要です。

思い込みがないように、誘導尋問にならないように第４章の質問の項目を参考に、日常でも練習を重ねてください。

感じ取ったことから複数の提案をし、相手に選ばせる

では、「顧客心理推察力」と「状況察知力」により集まった情報はどう活用したらいいのでしょうか？　一言で言えば、**「情報はすべて、顧客の問題解決のため」**にあります。

第３章で問題解決についてはお伝えしましたが、問題を定義し、原因を追及し、解決策

を策定する過程において、**顧客の心理や相手の状況がわかっていれば、最終的には有効な解決策を複数提案することができます。**

多くのエンジニアが、解決策を伝える際に１つの案しか伝えません。自分の中ではベストの一つかもしれませんが、研修の中では必ず複数の解決策を提案するように伝えます。

理由としては、２つあります。まず１つ目は、これしかないという選択肢を与えられるよりも、「A案とB案さらにC案の中からどれにしますか？」と聞かれたほうが、**その場の満足度が高い**のです。

もちろんそこには、エンジニアの見解としてそれぞれのメリットとデメリットを伝えてあげられれば完璧です。エンジニアから見て、A案しか現実的ではないと思っても、B案、C案と並べて見せることによって、相手は不自由さから解放されます。

もし、あなたがB案、C案は現実的ではないと思ったとしても、そこはデメリットとして伝えればいいわけです。

２つ目の理由は、お客様が選択をするということは、**選択した責任の一端を担ってもらえること**です。「弊社から３つの提案を差し上げましたが、御社も選択なさいましたよね」という状態をつくっておくことで、後々救われることもあります。

３つの選択肢を出すこと自体が難しいと思っているかもしれませんが、これもトレーニングだと思って、出すようにしてみてください。

たとえば、修理の方法としては、①現地にエンジニアを派遣する方法、②マシンを送り返していただき修理し返送する方法、③パーツを送付するのでお客様により交換をしていただく方法、以上、３つのうちであればどちらがよろしいでしょうか？　など、３つの選択肢を出します。

その際、顧客心理や状況によりお勧めするサービスが変わってくることになりそうなので、それぞれの価格や修理にかかる期間、難易度などについて伝えます。

そして、解決策を複数出し選択するための材料をお伝えするためにも、「顧客心理推察力」と「状況察知力」により、顧客の情報を拾う力をつけておくことがやはり大切なのです。

「リスクを予見する」精度を上げ、管理する方法を知る

エンジニアは、「顧客心理推察力」と「状況察知力」を鍛えることが大切であるとお伝えしてきたもう一つの理由は、**「リスクを予見する」**ことが必要だからです。

たとえば、「ＫＹ」という言葉がありますが、２つの意味があることはご存じですか？

まず、１つ目は、みなさんご存じの「空気を読まない」つまり、その場の雰囲気を読まないで、自分のペースで行動し、周囲との足並みが揃わないような状態を表現する場合に使います。

そして、もう一つの意味は、「危険予知」です。建設・建築業界や通信建設業界などでは一般的な言葉です。

安全第一の現場では危険予知をして行動しなければ、仲間の死につながるようなこともあるのです。些細な違和感を感じ取り備えることは、どんな業界においても大切なことです。

そして、**「顧客心理推察力」や「状況察知力」は、まさに空気を読むことでもあり、危険を察知し、それを回避するためにも必要な力**なのです。


ご自身の仕事上の失敗を思い出してみてください。

あのときに、うまくいかないサインが出ていたのに、見逃してしまっていた。

または、ちょっとした違和感を感じていたのに、納期が間に合わないため進めるしかなかった。

さらに、後輩は納得いかないような顔をしていたのに、「できるはずだ」と背中を押したつもりが、翌日から会社に来なくなった。

など、思い返せば「相手の心理」や「その場の状況」には、不協和音があったと思います。

それを気づいていながらも、スルーしてしまうことが、その後に起きる問題の予兆だったということは誰しも思うところがあるでしょう。

この小さな違和感に気づくために必要なのが、「顧客心理推察力」と「状況察知力」なのです。

では、リスクとはなんでしょうか？「**リスクとは、起きるか起きないか不明ではあるが、起きたらネガティブな影響が出ると予想できること**」です。

つまり、**リスクを管理するには、リスクが起こる「発生の確率の高低」と「ネガティブインパクトの大小」で判断**します。

左図は、研修で使用しているリスク管理のためのワークシートです。取り組み方としては、まず、今後起こりうるリスクを付箋に具体的に書き出していきます。

あれが心配これも心配と思っていると不安が増幅していきますが、いったん書き出して可視化します。それを、この図の４象限に付箋を置いていきます。そうすることで、思考

ワークシートで思考が整理され、やるべきことが見えてくる

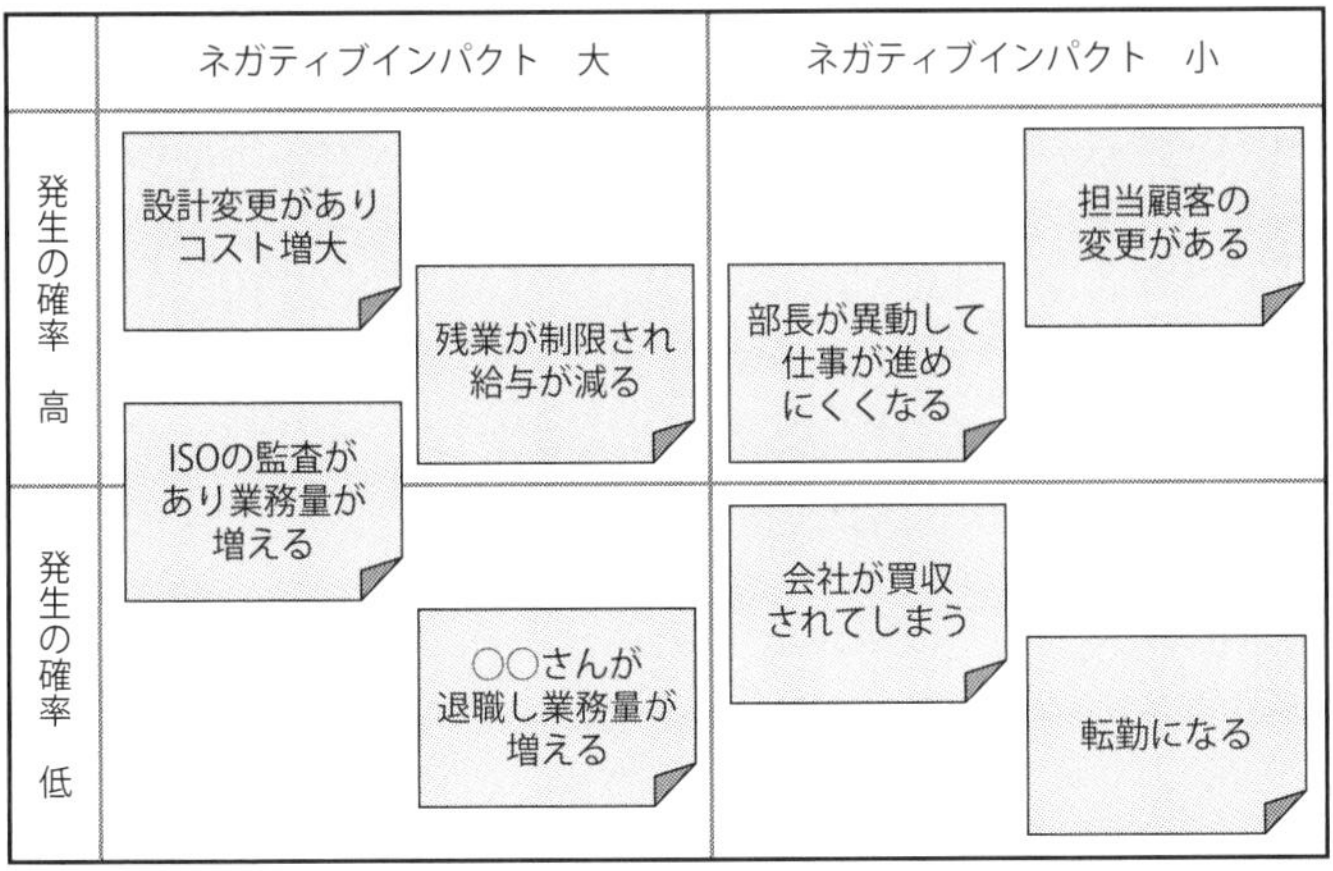

が整理され、やるべきことが見えてきます。
まずは、**発生確率が高くて、ネガティブインパクトが大きいものから対処**します。発生確率を下げるためにできることはないか、ネガティブインパクトを小さくするためにできることはないか、まずは、そこから考えます。
それ以外は、発生確率が低くネガティブインパクトが大きい、発生確率が高くネガティブインパクトは小さい、この2つは監視を続けます。たとえば、プロジェクトの初期段階と後期ではリスクの評価が変わってくることがあります。ですから、いったん書き出して配置したリスクは、定期的に見直す必要があります
たとえば、○○さんの退職の危機は発生確率が高いか低いか？　ネガティブインパ

クトは大きいか小さいか？　設計変更があったことによって、工数が増えてコストが増大することの発生確率はどうか？　ネガティブインパクトはどうか？　ＩＳＯの監査が半年後にあることは、発生の確率は高いが、特に大きなプロセス変更はないので、ネガティブインパクトは小さい。などと評価していきます。

このように、とにかく具体的にあげて、関係者に共有しておくことで、予測できるリスクを管理することが可能になるのです。

そのリスクを予見する精度を上げていくためにも、エンジニアは常日頃から「顧客心理推察力」と「状況察知力」という2つの力をさらに磨き続ける必要があるのです。

第6章

一流のエンジニアは、「顧客目線」で言葉を使い分ける

解説

技術的にはこれが正解！　と、正確で最新の情報を伝えられるエンジニアはたくさんいますが、一流のエンジニアは、相手の技術レベルによって、言葉を使い分けることができます。

わかりにくいことを、わかりやすくシンプルに伝え、かつ安心感のある話ができる人を目指すには、「顧客目線」であることが必要です。

情報の取捨選択・構成・言葉の選び方・伝え方を具体的なスキルとしてお伝えします。

エンジニアの欲求を満たす話し方になってはいけない！

エンジニアはこれまでのキャリアの中で、ご自身の技術レベルを高めるために資格取得のための勉強をし、本を読み、プログラムを書き、障害解析をしてきたことでしょう。楽しいときばかりではなかったと思いますが、せっかくそうして自分のものにしてきた技術力も製品やサービスに反映されなければ意味がありません。

上司や関連部署・顧客から、その技術力を認められて今の仕事をしているのであれば、そこからさらに頭一つ抜け出すためには、**自分の伝えたいことを伝えるよりも、相手が知りたいことや困っていることに焦点を当てて伝えることが大切**です。

技術的に深い知識があればあるほど、良かれと思って技術的に詳しい内容や、最新の情報を伝えたくなります。

しかし、それはある意味、「自分がどれだけその件について詳しい人なのか、数多くの経験をしてきた人なのか、ということをわかってほしい」という承認欲求からきているのではないでしょうか？

エンジニアの頭の中では、あんなこともできる、こんなこともできると思って、浮かんでいるソリューションを全部話したり、お客様と会話をする前にどれだけ調べてきたかを全部話したりすると、顧客は消化不良を起こします。

顧客の最大関心事は、「自分たちのビジネスがいかに安定的に発展するのか、そのために、ＩＴがどれだけ効率的に安全に稼働し、働いている人々が楽に便利になるのか」なのです。

もちろん技術的に納得しないと、ＹＥＳとは言わないお客様もいますが、そのような技術レベルが高いお客様には、合わせて話をすればいいのです。

そして、技術的に詳しくない方には、なるべくわかりやすく、相手から見た問題点を明確にしつつ、それに対してどうしたらいいかをプロとしてアドバイスできればそれでいいのです。相手が社内の他部署の人であっても同じです。

大きな障害が起きると、障害対策会議が招集される場合があります。その際、顧客は今の障害がいつ復旧するのか、トラブルが長引いたときに業務にどんな影響があるのかを知りたいのです。

どんな調査をし、どんな技術を使って問題を解決したのかという情報は、最低限でいいのです。もちろん技術的に詳しい人はそこを求める人もいますが、そこはお客様のご要望に合わせられるといいでしょう。

つい自分の仕事アピールになってしまいがちですが、自己満足で大切なお客様の時間を奪って不快な思いをさせてしまうことは避けたいものです。

常に「顧客目線」を意識し、言葉を選ぶ

お客様をイライラさせるもう一つの原因は、エンジニアが「専門用語を並べ立ててする説明」です。

確かに外資系メーカーが使う用語やコンピュータ用語は、カタカナや英語の言葉の頭文字を取ったような表現が多いです。社内ではそのような言葉が飛び交っているので、日常的にそのような言葉を使っているエンジニアも少なくありません。

社内で共通言語として使っているのはいいのですが、お客様はＩＴ業界の人であるとは限りません。また、データセンターの管理や社内システムの担当であるとも限らないため、専門用語を使う場合には、神経を使わなければなりません。

本書のタイトルである、『一流のエンジニアは、「カタカナ」を使わない！』というのも、エンジニアがまったくカタカナを使わないわけではなく、相手や場合によっては、よりわかりやすい言葉を使用するという意味です。

本当に相手にわかってほしいと思えば、相手のレベル感に合わせて話の内容を調整したり、専門用語は使わないようにする工夫があってしかるべきです。

つい専門用語を使ってしまった場合、相手がわからなそうな顔をしていれば、言い直したり、補足説明をするような余裕が必要です。

人によっては、相手を威圧するためにあえて難しい言葉を使うようなエンジニアもいますが、相手にはフラストレーションがたまります。バカにされているような気がすると感じるお客様もいらっしゃるため、特に込み入った状況のときには、なるべくシンプルでわかりやすい言葉を使うことをお勧めします。

もちろん、うまく日本語に訳す言葉が見つからない場合もあると思いますが、そんな場合には、「ご存じの通り○○という意味ですが」「このような意図で○○という言葉を使いました」などと補足をすればいいでしょう。

2度目に使用するときには、補足なしでもご理解いただけるはずです。また、聞き取りが難しいような言葉の羅列が続く説明の場合には、事前に資料を準備し、補足は（　）を使い日本語で表記するなど、相手目線での配慮は必要です。このひと手間をかけることで、相手に恥をかかせずに済むので面倒でも実践してください。

説明をしながら「顧客を育てる」意識を持つ

たとえば、洋服を買いに行ったときに、新しいアイテムの名前や流行の色など、さりげなく口にする店員さんがいます。お客様が初めて聞く言葉であれば、補足説明してくれる場合があります。

そして、それを聞いたお客様の立場としては「最近流行の新しい情報を仕入れて嬉しい」と思う人もいるでしょう。自分にとって興味があることであれば、教えてもらえることがありがたいのです。

また、新しいことを知ったら他の人にも伝えたくなるので、口コミでどんどん流行が広がっていきます。そうやって顧客のファッションに対しての知識レベルを上げて、育てていくわけです。

エンジニアの世界でも、**業界の技術レベルを高めていくためにも、専門分野について業界違いの人にも詳しくなってもらうためにも、エンジニアには「顧客を育てる」という意識も持ってほしい**と思っています。

「こんなことも知らないのか」という態度は相手に伝わってしまいます。顧客がエンジニアよりも詳しいのでは困ります。顧客が、あなたよりもあなたの専門分野については知らないことは当たり前です。だからこそ、顧客はエンジニアに価値を感じるわけです。

知らないことがダメなのではなく、知らないことは教えて差し上げることができれば、顧客からは信頼され、あなたはエンジニアとして価値ある存在になるのです。

価値とは値打ちですから、そこにお金を払ってもいいと思えるような存在になれれば、長期的に指名がくるようになり、「○○さんがいるから、また次回も△△会社にしよう」というリピートをいただけるようになるわけです。

そして、社内的にも自分のポジションは上がりますし、営業から感謝の言葉を聞けたり、上司からも評価されるので、いいことずくめなのです。

自分が勉強したことを惜しみなく相手に伝えることで、自分の知識も整理されます。前職では、技術情報を教えるのがうまいエンジニアがいました。顧客からの指名で、ある製品の勉強会を開催してほしいという要望がありました。

サービスメニューには特に用意はなかったのですが、ある程度の準備が必要で、それにかかる工数も必要だったので有償の提案をしたところ、顧客は快く受け入れてくれて、定期的に勉強会を開催することになったのです。

それにより、顧客の技術力も高まり、レベルの低い質問や何度も同じ質問がくるという段階を脱して、ある程度対等にエンジニアと話ができるようになりました。伝える情報に価値があれば、顧客は対価を支払ってでも得たいと思うわけです。

わかりやすい「説明の型」を学ぶ

せっかく説明をするのであれば、誰が聞いてもわかりやすいほうがいいですよね。本項目では、一般的なビジネストークの型を2種類お伝えします。

まずは、**「ホール・パート法」**について説明します。ホールとは、Whole＝全体・まるごとという意味ですが、まずは、全体像を伝えます。そして、パートとは、Part＝詳細・部分という意味です。最後にもう一度、全体像にもどります。

例として、「本製品がお勧めの理由を3点に絞ってお伝えします（全体像＝ホール）。まず、1つ目は新機能です。具体的には～（詳細説明＝パート①）。2つ目は価格です。具体的には～（パート②）。3つ目は納期の短さです。具体的には～（パート③）。以上のことから、本製品について御社にとってお勧めの理由がおわかりいただけたと思いますが、いかがでしょうか？（全体まとめ）」などのように活用します。

全体像（結論）でサンドイッチにして、中身は詳細を3点に絞って伝えましょう。

2つ目の型は、**「PREP（プレップ）法」**と言い、これもビジネストークの王道です。この型は、**結論と結論のサンドイッチで、具は、理由と具体例**です。エンジニアは顧客に事例をもって説明することも多いので、相手にイメージしやすい事例が伝えられるときにはこの型を活用するといいでしょう。

たとえば、「ご使用のシステムを最新のOSにアップグレードする必要があります（結論）。

理由として、現在のOSではセキュリティの脆弱性が見つかったからです（理由）。

事例として、先週、同じOSを使っていた別の顧客からセキュリティの不具合について3件の問い合わせがありました。最新のOSをインストールすることで、脆弱性の問題は回避することができたという報告がありました（具体例）。したがって、できるだけ早くＯＳを最新のバージョンにアップグレードする必要があります。ご検討よろしくお願い致します（結論）」などと伝えます。

ＰＲＥＰ法の型をより効果的に使用するためには、理由の前には「理由として、なぜなら」などの接続詞を入れます。また、具体例の前には「具体的には、事例として、たとえば」などの接続詞を入れます。最後の結論の前には、「結論として、つまり、したがって」などの接続詞を入れます。

そうすることで、相手には、この後理由がくるとか、事例がくるとか、再度結論がくるとかといった聞くための準備ができるので、うまく接続詞を使ってください。

ホール・パート法もＰＲＥＰ法も、どちらも使いやすい型ですし、準備をすれば色々なシーンで活用できます。特にホール・パート法は、結論を支える３つのポイントを常に意識することで、話が論理的に構成することができるようになるため、日ごろからトレーニングだと思って３つにまとめる癖をつけるといいでしょう。

交渉は、「お願い」と「お断り」のスキルでうまくいく

エンジニアとして、仕事を前に進めるために「お願い」や「お断り」をすることは様々なシーンであると思います。ただ、これを多くの場合、コミュニケーションの一部として会話の流れで伝えているのではないでしょうか?

これから相手に何かを「お願い」する、「お断り」するという「交渉」なのだと、意識して伝えれば、伝えることの質と結果が変わってきます。本項目では、交渉術の中でも「お願い」「お断り」に絞ってお伝えしていきます。

たとえば、顧客とのやりとりの中で、「必要な情報を送ってほしい」「打ち合わせの時間をつくってほしい」などという要望があるとします。その際に、自分の仕事を進めるために必要な情報や相手の時間をいただくわけなので、それは「お願い」の場面だととらえるべきです。

こうしたケースでは、「相手の問題を自分の技術力を使って解決に協力しているから、情報提供は当たり前である」「自分の忙しい業務の合間を縫って時間も提供するわけだか

ら、相手は時間をつくることも当然である」と思ってしまいがちです。

まずは、「お願い」はとにかく感じよく。そして、「お願い」よりも難易度が高い「お断り」は、苦手な人も多く、そこをそのままあいまいにしておくことで、大きな問題に発展する場合があります。スキルを使って罪悪感なく断れるようになれば、結果的に自社を守り相手も守ることになるのです。


簡単なスキルを使えば、「お願い」も「お断り」もうまくいきます。

◎「お願い」のスキル

「お願い」をする場合の簡単なスキルは次のとおりです。

● 「クッション言葉」を活用する
● 「お願いの理由」を伝える
● 「感謝」を表す

「クッション言葉」は、新人研修の際に敬語表現で学んだ方もいると思いますが、**「衝撃を吸収するための緩衝材の役割をする言葉」**です。次に、例をいくつかあげておきます。

「恐れ入りますが」「恐縮ですが」「お手数をおかけしますが」「ご足労をおかけします

が」などの言葉があります。

意識しなくても、日常使っている言葉でしょうが、「お願い」の構文としては、最初にこのクッション言葉から始めます。相手は、クッション言葉がくると、これから衝撃がくるという準備をして聞いてくれます。


次に、「お願いの理由」を伝えますが、この理由が大切なポイントです。できれば、自分目線の理由ではなく、相手目線の理由として伝えられるように準備しましょう。相手が「それはもっともだ！」と思えるような理由を見つけられるかどうかが鍵です。

よくあるNGパターンとしては、「弊社のルールなので」「弊社のプロセス上」「弊社の人員不足の問題で」など、理由が自分の組織を守ることになってしまうと、相手から心理的な反発を引き出してしまうこともあります。

理由として相手が合意しやすいのは、**「相手の利害を守るような内容」**です。たとえば「正確な情報把握のため（間違いがあるといけないので）」「問題の早期解決のため（問題が長期化するといけないので）」「適正なコストに抑えるため（無駄なコストを省くためにも）」など、相手が「それはありがたい」と思えるような理想の状態をつくるため、もしくは「それは困る」と思えるような危機感をあおることもＹＥＳを引き出すために必要です。

最後に、感謝表現ですが、「お願い」に、YESという前向きな返事をもらえた場合には、間髪をいれずに「ありがとうございます！」と感謝の言葉を述べましょう。

◎「お断り」のスキル

「お断り」をする場合の簡単なスキルは次のとおりです。

- ●「クッション言葉」を活用する
- ●「お断りの理由＋代替案」を伝える
- ●「感謝」を表す

まず、「クッション言葉」については先程もお伝えしたとおりですが、お断りは相手にとってのマイナスの状態を提案することになるため、次のようなクッション言葉が適切です。「申し訳ございませんが」「残念ですが」「あいにくですが」は、「お断り」のスキルの際につかえるクッション言葉です。

2つ目の「お断りの理由＋代替案」は非常に大切です。「お願い」と同様で相手目線での理由を探してください。さらに、**代替案については、1つではなく、3つ**あげましょう。

第5章でもお伝えしましたが、**選択肢は多ければ多いほどいい**のです。企業研修でも、代替案を3つというと「えー」と異を唱えるエンジニアは多いですが、それは経験のあるエンジニアであればあるほど、「この代替案はないな」という思い込みから、それらを外して自分の一押しの代替案を提案することになるのです。

選択するのは、あくまでも相手です。ですから、自分だけの思い込みで選択肢を外すことなく代替案を幅広く検討して、提案しましょう。

代替案を3つ考え、それぞれのメリット・デメリットを伝え、そして相手に提案しましょう。ここで相手が納得してくれれば、断られたという相手の印象が、自分のために一生懸命考えてくれた、誠意を見せてくれたと思ってもらえるわけです。

そして、3つの代替案から選んでくれた相手には、すかさず感謝を表現し、「問題解決のために尽力します」「速やかに対応します」「プロジェクトの成功のために頑張りましょう」など、前向きな言葉を添えましょう。

第7章

一流のエンジニアは、キャリアアップしながらチームを大事にする

解説

普通のエンジニアは、自分の専門技術や特定の製品に特化した職人を目指しがちです。自分の興味で仕事をしているとそうなりやすく、技術レベルの差で他のエンジニアと競う傾向があります。

技術力を高めることは必要ですが、どれだけ知っているのかという知識やスキルだけを高めていくと、情報を抱え込むようになります。

一流のエンジニアは自分の知識を人と共有し、チームが成長するための貢献ができます。そして、それにより技術を抱え込まずに共有し、その結果、人が育てば、より仕事が楽に回っていくことになります。

本章では、やがて**上位エンジニアになり、管理職になるために必要となる考え方をお伝えします。**ご自身の今後のキャリアの可能性を描きながら読み進めてください。

Ｉ型人材からＴ型人材、さらにＴＴ型人材になるためのヒント

サン・マイクロシステムズ時代に、サポート・サービス部門の当時のトップは、保守部門としてエンジニアの育成を自部門の中で直接行いたいという強い想いを持ちました。そこで、「キャリアディベロップメント&トレーニング」という部署を立ち上げ、私が選任担当することになりました。そこでは、マネージャやエンジニアのあるべき姿を描き、現実化するために様々な仕組みや研修メニューを考えました。

その経験が今の仕事にも活かされています。ある程度の規模とトップの強い考えがないとこのような体制を取ることは難しいと思います。したがって、自分のキャリアは自分で考え、そのために、今、何をしなければならないのか、エンジニア同士が切磋琢磨していくために、周囲とどのように協働していくのかが大切です。

従来、エンジニアには、Ｉ型エンジニアとＴ型エンジニアがいます。アルファベットの形から、**Ｉ型は狭い専門分野を深く学び詳しくなっていくエンジニアのタイプ**です。特定の製品や特定の技術に特化して、この分野のことであれば、誰にも負けないような知識と

I型エンジニアとT型エンジニアの違い

経験を持っているエンジニアです。

ITバブル（1990年～2000年あたりまで）が弾ける前までは、人員に余裕があり、このようなI型エンジニアが多くいました。しかし、狭いエリアのスペシャリストになっていくため、現在のような複雑な製品構成への対応や多様化する複合技術に対しての対応は難しいため、I型はT型に移行するように研修ではお伝えしています。

次に、**T型エンジニアですが、全般的に広い業界知識や基本的な技術の知識を持ちながらも、1つ深い専門知識を掘り下げていくというのが特徴**です。

たとえば、顧客からトラブルの連絡があったときに、状況を聞いたうえでどこに問題があるかを切り分けて、専門的な知識で解決していくのが、T型エンジニアです。

I型エンジニアは、誰かが切り分けた問題を、自分の専門であれば誰よりも深く分析し、適切な回答を出し、再発防止策まで検討できるようなレベルです。

さらに、**私がお勧めしたいのは、TT型エンジニアです。TT型とは、広く浅い知識を持ちながら、2つの専門性を持つエンジニア**のことを言います。

2つのTの距離が狭い場合と、2つのTの距離が遠い場合がありますが、いくつか例をあげて説明します。

たとえば、1つ目のTと2つ目のTの間隔が狭い例としては、2つの製品について詳しいというような場合です。その場合だと、結果的にはI型エンジニアのように狭く深くなりがちです。

では、2つのTの間隔を離すとどうなるかを考えてみましょう。たとえば、Web開発言語とマーケティングの2つを専門にすれば、マーケティング戦略を考えたうえでホームページの開発までできることになります。

また、ネットワークの技術とコンサルティングを学ぶと、ネットワーク関係のコンサルティング業務ができるようになります。

当たり前のことを言っているようですが、仕事上求められるから他の知識やスキルを学ぶわけではなく、あえて2つのTを設定しましょう。さらに、2つと言わずに、複数のTを自分から設定していくことをお勧めします。

長く仕事をしていると、それらがどんどん統合されて自分の強みになっていくわけです。異業種の勉強会や気になるセミナーなど学びの機会をつくりましょう。

企業内で育成担当をやっていたときは、プロジェクトマネジメントの勉強会や中小企業診断士になるための養成講座、MBAなど、必要に応じて学ぶ機会を提供していました。

そのときに、チャンスをつかんで勉強を続けていたエンジニアは、今も管理職や上位エンジニアとして活躍しています。IT以外の専門性があれば、価値の高いエンジニアに成長し、その先のキャリアが開けていきます。

自分の強みをさらに磨いていくには、「知識の共有」が一番

TT型エンジニアになることをお勧めしましたが、学んだ知識やスキルをさらに磨いていくために必要なことが2つあります。

まず1つ目は、**学んだことを積極的に活用する場面を見つけて、組織に貢献していくこ**

とです。自分の得意分野の話が出たときには、「それ、私がやります」と積極的に手を上げてチャンスを得ましょう。周囲にも「〇〇のスペシャリスト」という印象がつき、他のエンジニアとの差別化ができます。

そして二つ目は、**学んだことを他の人と共有する**ことです。たとえば、社内で勉強会を開催することが有効です。前職ではＴＯＩ（Transfer of Information）という勉強会を開催する文化がありました。また、技術書を数名で読み合わせをするような、輪読《りんどく》というやり方などもありました。

どちらにしても、「自分が先生をするなら、わかりやすい資料をつくろう」「読み合わせの担当分は質問があった場合に、答えられるようにしておこう」などと、自分中心でことを起こせば自分がやらざるを得ない状況になります。それが、人を成長させます。勇気をもって、一歩を踏み出しましょう。

他にもマニュアルを作成したり、ＦＡＱ（よくある質問）をまとめたり、ナレッジベースを整理するなど見える化することで、個人のスキルが整理されます。次ページの図は、ナレッジについての説明です。自分の中にある「暗黙知」を表出化させることで、他者も再利用できる形（形式知）に整理ができ、組織にも自分自身にもいい効果があります。

暗黙知を形式知に変えれば、他者も利用できる

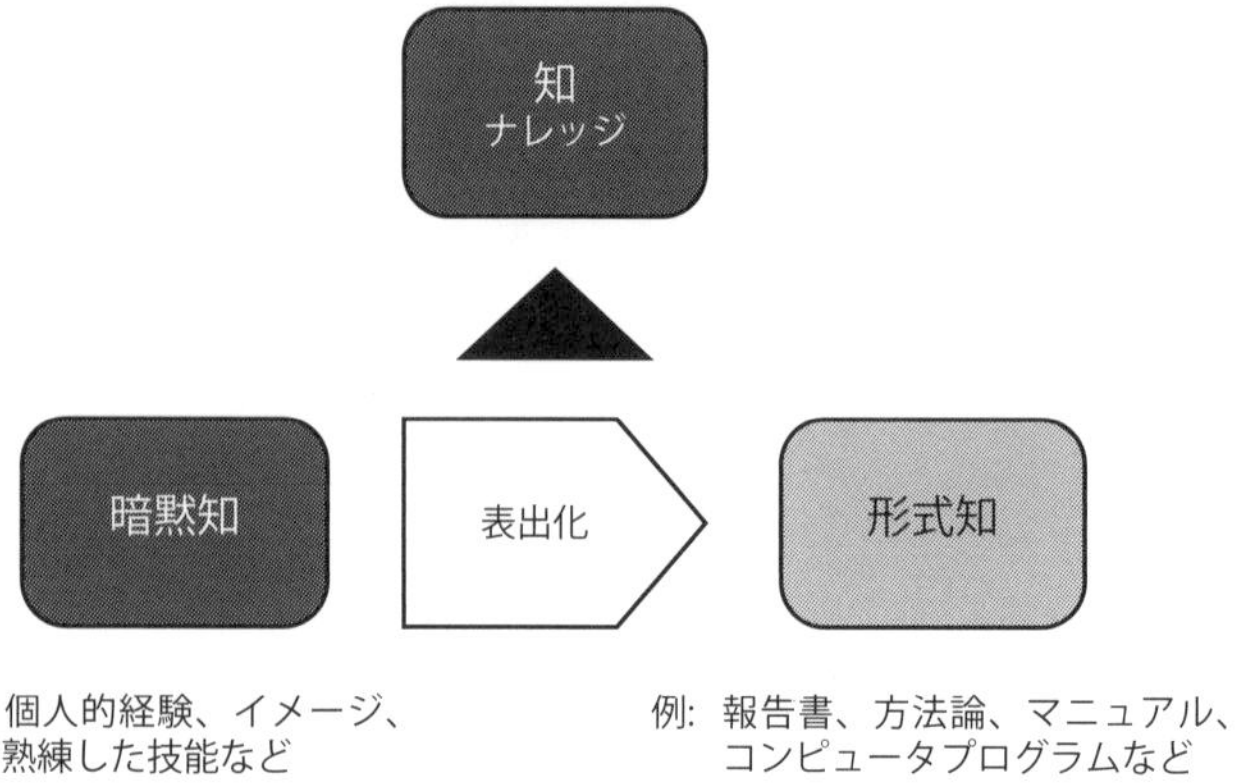

形式知化しておけば、データベース化できますし、ＡＩ化の準備としても役に立ちます。何よりも、自分の経験・ノウハウをきちんと言語化できるスキル自体にも価値があるのです。その能力があれば、ＡＩに取って代わられることはないスキル保持者とも言えます。

●稚拙でもいいので、まずアウトプットしてみる。

●それが他者からどう受け取ってもらえるか、意図が伝わるかを確認してもらう。

●他者の意見も取り入れてブラッシュアップする。

●共有化のための仕組みを使って共有する。

●陳腐化しないように、変更があれば更新する。

最初の、まずアウトプットすることが難しいかもしれませんが、たとえば、誰かが開催する勉強会に参加したときのメモでもいいと思います。

また、業務の引き継ぎを受けた際など、自分のノウハウではない他者のノウハウをアウトプットしてもいいでしょう。

そうやって、自分の学びを誰かと共有することで、足りない視点がわかってきたり、他のケースだとどうなんだろう？　という疑問が生まれます。繰り返しトライを続けることで、短時間でのアウトプットが可能になり、周囲からも頼りにされるようになるのです。

人を巻き込み、教え合う文化を醸成する

エンジニアを抱える組織での問題点としてよく聞くのは、「エンジニアが職人化する」「個人商店化する」ということです。

リストラや早期退職など、同じ環境の中で働き続けていけない状況になることも珍しくない企業も多くなりました。次は誰が異動させられるのか？　退職させられるのか？　と、戦々恐々の方もいるかもしれません。

また「他の人にはできない仕事ができる人は辞めさせられない」という間違った考え方をする人もいます。そして、仕事を抱え込み、ノウハウは誰にも教えないというような考え方をする人もいます。

どんなに素晴らしい能力があり、誰にもできない仕事をしているエンジニアがいたとしても、その人が辞めたからといって会社が倒産したという話は聞いたことがありません。確かに一時的には困ることもありますが、それでも、仕事はなんとか回ります。

つまり、仕事や情報を抱え込んでも意味がないわけです。そうであれば、なおのこと自分のノウハウを使って組織に貢献できて、それが、他の人の成長の役に立ち、自分も感謝されるのであれば、出し惜しみすることなく、知識やスキルを分かち合うべきではないでしょうか。

先程の項目でも、ＴＯＩ（Transfer of Information）という勉強会を開催することをお勧めしましたが、これを仕組み化することをお勧めします。たとえば、「定例会議の中で30分はＴＯＩの時間に充てよう」と決めて、あとは担当を割り振るだけです。

深い経験がある人も、まだ経験の浅い人も、同じように実施することがコツです。誰が先生になってもいいのです。若手の育成の仕組みとして、是非とも取り入れていただきたいことです。

新人研修では、ビジネスマナーや職場のコミュニケーションを伝えますが、その集大成として、職場の先輩方を対象とした勉強会を実施します。

企画から集客、そして内容の組み立て、当日の運営、アンケート実施、振り返りレポート作成まで、新人だけでやってもらいます。本人たちの学びの整理にもなりますが、先輩たちも年に一度、忘れていた基本的なビジネスマナーやコミュニケーションについて思い出すいい場になっています。

色々な立場の人を集めて勉強会をすることで、組織全体にもいい波及効果があるので、組織での勉強会を開催するという文化をぜひとも定着させてほしいです。

自分の技術的な専門分野以外をどう開発していくかを考える

エンジニアとして技術的な分野については、積極的に学びとろうとする人は多いのですが、私が提供するような顧客満足度を高めるコミュニケーション研修や、問題解決研修、プレゼンテーション研修は、「朝から面倒くさいやつが来たな」という表情で受け入れられることがほとんどです。

人は、誰しも新しいことに対する抵抗があります。でも成長するということは、今まで慣れ親しんだやり方をいったん手放し、新しいやり方を知り、自分のものにすることです。学生時代には入学、進級、卒業のような節目がありましたが、社会人になるとこの節目は自分でつくるしかありません。研修はある意味節目のような役割ですが、本書を読むことで自ら節目をつくってほしいと願います。

さて、まずはどんな分野があるかを、主だった5つの切り口であげてみました。

①企業の機能全般（経営・経理・営業・マーケティング・開発・製造・品質保証・保守）
②特定の業界（IT・医療・介護・教育・製造・建設・小売り・物流・農林水産・エネルギー・マスコミ・官公庁）
③多様な職種（経営者・管理職・専門職・一般職・技術職・営業職・人事職・経理職）
④特定の地域（都市部・小規模市町村・過疎部・特定のエリア・海外）
⑤顧客の規模感（グローバル企業・一部上場企業・中小企業・個人事業主・一般ユーザー）

企業でも、部署や担当をどう分けるかは悩ましく、担当顧客の業界で分けたほうがいいのか？　顧客の場所で分けたほうがいいのか？　顧客の規模で分けたほうがいいのか？　組織変更の際には必ず悩むところです。

どれも一長一短があるのですが、まずは自分の専門分野を広げていくためにも、自分の割り振られた顧客を理解するところから始めるといいでしょう。

①企業の機能全般

企業の機能は、どの会社もそれほど大きくは変わりません。営業の強い会社もあれば、技術部門が強い会社もあります。たとえば、人事系のシステムを開発するプロジェクトに参画することになれば、会社の人事の課題を見聞きすることになります。

そこで積極的に知識が得られれば、将来的には人事系システムのコンサルティング業などができるようになるかもしれません。その際に、人事労務のことを知ったほうが仕事がやりやすいと思って、社労士の資格を取ったり、経営のことを知りたくなって中小企業診断士の資格を取るようなエンジニアもいます。

単に、仕事で必要な情報を顧客から聞き取るだけではなく、自分が興味を持ってもっと学びたいと思えば、それが将来的にはあなたの強みになっていくこともあるのです。

②特定の業界

業界知識も技術者にとって武器になります。その業界の中にいると当たり前のことも、業界外から見れば不思議なしきたりや、暗黙のルール、業界内の優先順位などがあります。研修講師としても、業界知識はあればあるほど顧客との心の距離が縮まるため、相手から選んでもらいやすくなります。

③多様な職種（経営者・管理職・専門職・一般職・技術職・営業職・人事職・経理職）

職種によっても悩みは違います。この職種がどんな悩みを抱えていて、それを自分が解決できるという施策を提案できれば、価値の高いサービスを提供することができます。

多くの企業では、経営者のニーズだけに応えていても、実際にオペレーションをする一般職に不満が残れば、業務改善ではなく業務改悪になる場合もあるため、職種についてはは多様な職種による考え方や悩みを知っているとあなたの価値は高まります。

④特定の地域（都市部・小規模市町村・過疎部・特定のエリア・海外）

場所については、かなり専門的な知識が必要になります。その土地土地でのしきたりや行事や文化ともあいまって、知らないと後から問題になることもあるので、その場所で得た知識や経験には価値があります。

⑤顧客の規模感（グローバル企業・一部上場企業・中小企業・個人事業主・一般ユーザー）

企業の規模感についても、企業規模が大きければ大きいなりの悩み、小さければ小さいなりの悩みがあり、一緒にして考えることは難しいです。だからこそ、専門分野をどの規模感にするのかは絞ったほうがやりやすいのです。

以上、５つの切り口をお伝えしましたが、先にご紹介したＴＴ型のエンジニアの専門領域の１つとしても、業界や職種、それ以外にも意識をして情報収集することにより、他の人にはない専門知識をあなたの価値に変えることができます。部署変更や担当替えでがっかりすることはなく、むしろ新しいことを学び取れるチャンスだと心得ましょう。

「人脈」形成のための戦略をつくる

人脈づくりは得意ですか？　ここは得意な人と苦手な人が分かれるところですが、人脈づくりを何のためにやるかという目的があれば、重い腰を上げてやってみようという気になるかもしれません。

様々なエンジニアを観察してきましたが、30年以上も技術者と関わってくると、やはり**人脈形成がうまいエンジニアは長年第一線で活躍できていて、結果的にはやりたい仕事をやりたいと思っていたポジションで頑張っています。**

逆に、人との接触を避けてきた人は技術力が高くても、思うような活躍ができずにいたりします。

もちろん運や縁もあるし、本人も納得した働き方になっているのであれば、それでいいのですが、傍から見ていると、もっとご自身の活かしようがあっただろうなと思うと、どこかもったいない感じがしてしまいます。

ですから、これから活躍されるエンジニアには、ぜひとも戦略的な人脈形成をしていただきたいと思います。

そもそも、ご自身がどんな働き方をしたいかにもよりますが、これから10年先のことは誰にも読めません。どんなに有名な大企業も今一人勝ちの強固な会社も、大当たりしているベンチャー企業もこの先どうなっていくか、ましてやそこに働く一エンジニアがどうなっていくかを正確に予想することなどできようはずもありません。

だからこそ、**何ができるかというスキルや経験も大切ですが、誰とつながっているかということも非常に大切**です。


もし、明日クビになったときにでも、「うちの会社においでよ」「一緒に仕事しようよ」「こんな仕事に興味ない？」などと声をかけてくれる人が何人いますか？

また、今の名刺の会社名や肩書がなくなったとしても、あなたのために一肌脱いでくれる人がどれくらいいますか？

「○○さん、○○さん」と持ち上げられてチヤホヤされていたのは、会社名と肩書のおかげだったと仕事を辞めてから気づくのでは遅いのです。


また、いずれは転職したいと考えている人ならなおさらです。求人サイトや転職エージエントも世の中に増えましたが、実際には、世の中にオープンになる前のクローズドの求人がたくさんあるのです。

たとえば、誰かが辞める、異動するということで、２か月後に籍が空くことがわかっている場合、「どこどこで、こんなポジションが空くから履歴書書いたら推薦するよ」とか、「上司に会わせるよ」などとオフィシャルではない面接があちらこちらで起きているのです。

外資系では、人を紹介して入社が決まるとスポットボーナスが出るような会社もあり、気軽に人を紹介するような文化もあります。

もちろん、クローズドの紹介による転職はデメリットもあります。たとえば紹介者の顔を立てなければならず、断れないとか色々と我慢しなければならないこともあるのですが、オープンになった場合の競争者の数を考えるとやはり魅力的です。このように社内外にアンテナを張り、自分にとってより良いキャリアを求めるためにも人脈は大切です。

人脈形成をお勧めする他の理由としては、やはり**「情報収集」**です。もちろんコンプライアンスや守秘義務もある世の中なので、言えること言ってはいけないことはあるものの、技術者が集まれば世の中の新しいテクノロジーの話や業界の動向など、エンジニア同士の共通の話題で盛り上がることで、自分の仕事にもいい影響があるはずです。

業界全体を元気にするためにも、技術の発展のためにも、**企業の垣根を越えて横のつながりが持てる人は、どこに行っても自分のコミュニティーを築き、場を活性化していける人**です。

また、もう一つ大切なことは、**「業界とは関係ない趣味や地域のコミュニティーに所属**

する」ことです。まったく異業種の人たちが集まる会に参加することで、他の業界からヒントをもらうこともありますし、顧客の声を聞く場になることもありますし、何に不便を感じているのか、何にお金を払うのかなど、たくさんのヒントがもらえます。

「遊ぶように仕事をする」という言葉がありますが、遊んでいるときに「あーそういうことか」とパソコンの前では思いつかなかったアイデアが降ってくる場合もあります。

「ダイバーシティ（多様性の理解のための）研修」でも、「ダイバーシティだと思う場は？」という質問をすると、ＰＴＡ活動や小学校のサッカーチームなどが必ずあがります。

年代も所属やバックグラウンドもまったく違う複数の人と、自分の常識が通用しない状況で同じ目的で働くことが非常に勉強になると言います。それが、仕事でも好影響を生み、前提が揃っていない一見不便とも思える状況を乗り越える鍛錬の場になっているようです。結果的には、同じような考えや文化を持った人以外とも、クリエイティブな仕事ができるようになるという効果もあります。

このように、人脈づくりはネットワーキングとも言いますが、積極的に自ら動くことで新しい道を切り拓くことができたり、運を開くことにもなります。

振り返れば、「あのとき、あそこで声をかけなければ、このご縁はなかった」と思うようなキャリアのチャンスをつかむこともあります。

まずは身近なコミュニティーに参加したり、いつもは行かないような飲み会にも足を運んでみると、思わぬご縁でつながることもあります。まず、一歩を踏み出してみると新たな機会が広がることでしょう。

第8章

一流のエンジニアは、困難に打ち勝つ「感情・思考・身体」のセルフマネジメント力が高い

解説

体力的にもメンタル的にも大変な、**エンジニアの「感情・思考・身体」をセルフマネジメントするのに必要な考え方と正しい知識を身につけましょう。**

仕事環境が必ずしもいいとは限らないエンジニアもいるので、**自分を傷つけることなく、長期にわたり健全でいられるための考え方と簡単に実践できるスキルをお伝えします。**

また、目標を達成するうえでの時間の管理や、ストレスをうまく味方にしてモチベーションを高める秘訣を知り、一流のエンジニアとして成功の一歩を踏み出してください。

エンジニアに必要な「セルフマネジメント」の全体像

エンジニアとして長年成功し続けるためには、「感情・思考・身体」のバランスをうまく取っていくことが大切です。

若い頃は徹夜してでもプログラムを書き上げるとか、一晩中検証作業などの無理ができていても、年々、気力・体力ともに若いときほど無理が利かなくなります。

また、直接顧客対応が必要なエンジニアは、感情のコントロールも難しい局面で踏ん張る必要もあります。自分に非がなくても謝罪したり、いわれのないことで顧客から責められたり、先が見えないようなトラブルで疲弊したりと、日々ストレスにさらされているわけです。

エンジニアが自分をいい状態に保つためには、１９７頁の図のようにバランスを取って日々を送ることが大切です。どれか一つが不足していても、エンジニアとして大成しません。

大きなトラブルが起きれば一時的にバランスを崩すこともあるかもしれませんが、それでもある程度の期間でバランスを取り戻すことが大切なので、これらの要素について大枠を説明します。

まず、自分自身を健全な範囲でコントロールすることを**「セルフコントロール」**と呼びます。基本的には**「感情・思考・身体」**の３つの要素を指します。

感情とは、ポジティブもネガティブもどちらも感情です。はしゃぎすぎてもいけないし、落ち込みすぎてもプロフェッショナルではないです。20年から30年前までは、「仕事に感情は持ち込むな」というようなことを口にする時代がありました。

しかし、今では、モチベーションもやる気が上がるという感情の一つの要素ですし、快の状態でいることがその人のパフォーマンスを最大限引き出すことになるので、感情とパフォーマンスがひもづいていることがわかります。

また、Ｇｏｏｇｌｅは仕事の効率化に必要な条件として、「心理的安全性」をあげています。つまり、感情的に安全である、安心していいと思えば、思い切りいいアイデアを提案することができて、認められる感じがして、個々が生産性の高い仕事ができるということです。ですから、感情がビジネスに与える影響は大きいと言えることでしょう。

また、**思考**などもいいもの、悪いものがありますが、これも仕事に影響を及ぼします。自分自身の思い込みや他者の思い込みなどで、仕事のミスが起きたり、問題解決が適切に

「感情・思考・身体」のバランスを取ることが大事

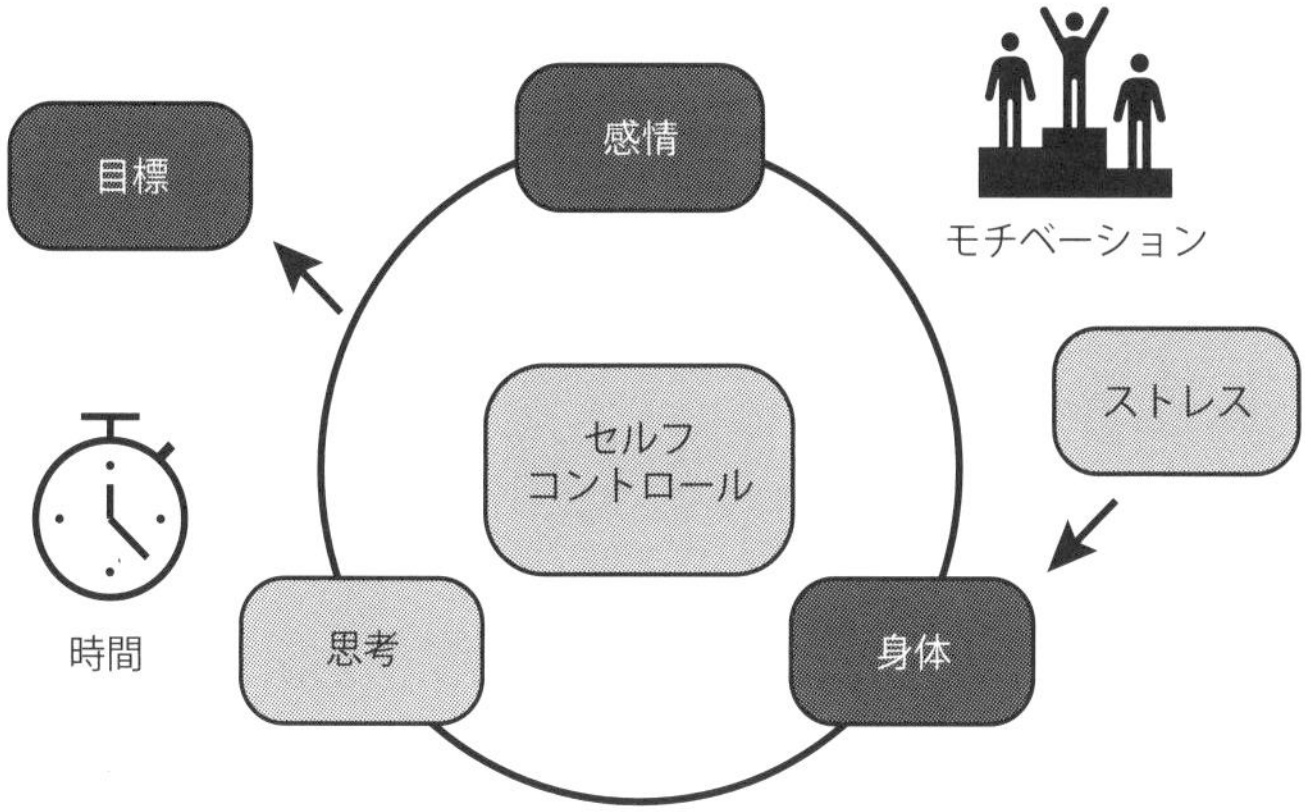

行えない場合もあります。そう思うと、思考についてうまくマネジメントしていく必要があります。

最後の**身体**ですが、これはもう身体が元気でないと、そもそも会社に来られませんし、健康でなければ仕事でいいパフォーマンスを発揮することはできません。

自分自身が自分の中でコントロールできるのが、感情・思考・身体なので、まずはここをうまくバランスを取りコントロールします。

また、外的な要因とも絡むのが「**ストレス**」です。外から与えられているものもあれば、内側から発生するものもありますが、ストレスがもたらす様々な影響についても後の項目で解説します。

そして、感情の一部ですが**「モチベーション（やる気）」**があります。これは、個人のものもありますが、チーム全体にも影響します。

また、モチベーションともリンクするのが**「目標」**です。目標をどう置くかによって、仕事のモチベーションも変わってきます。さらに、**「時間の管理」**についてもセルフマネジメントにとっては大切な要素です。

これらの要素を自分でコントロールすることで、エンジニアとしてのパフォーマンスを最高に引き出すことができるようになります。この後は、1つずつセルフコントロールの要素を解説していきましょう。

自分の感情と上手に付き合い、ため込まずにコントロールする方法を知る

「感情労働」という言葉を聞いたことはありますか？

肉体労働、頭脳労働、そして今の時代は感情労働のウエイトが高くなっていると言われています。**感情労働とは感情を抑制したり、忍耐したり、あるいは敏感に感じないように鈍麻させたりしながら仕事を進めること**を言います。

確かに、本当は上司に腹を立てたり、怖い顧客に怒鳴られて我慢をしたり、感情を抑え込み、耐えている時間が長いことは多くの職場で見られることでしょう。

感情は、うまく使えばモチベーションアップにもつながりますが、逆に「嫌だな」「怖いな」「不安だな」と思うと、行動が小さくなります。

たとえば、「余計なことはしないように、言われたことだけやっておこう」「問題に気づいているけど、これを言ったら絶対に仕事が増える」「不正を見つけてしまったけど、これを伝えたら大変なことになる」というように、リスクに気づいても黙って見過ごすような状態になってしまいます。

大企業のトップが記者会見で謝っている様子を見ると、「きっと現場で気づいた人がいても、怖くて言えなかったんだろうな」と感じます。隠ぺい体質ができ上がってしまったのも、元はといえば感情の問題だったんだろうと推察します。

悪いことほど早く報告しなければならないと、新入社員研修でもお伝えしていますが、実際には職場で機嫌が悪い上司やイライラしているお客様を見れば、とても悪い情報を伝えられるような余裕はなくなってしまうでしょう。

ＥＱ（心の知能指数）と言われるものが、ＩＱ（知能指数）と同様、またはそれ以上に社会で働くうえで大切だと言われていますが、実際にはＩＱは高くてもＥＱが低い人も多く、職場が殺伐とするのは、ＥＱが低いことが原因でもあります。

ＩＱと違ってＥＱは高めることができるため、研修の中では診断するアセスメント（検査）を実施し、ＥＱを高めるための研修も行っています。

ジャパンラーニング株式会社によるＪＡＰＡＮ　ＥＱ３００というテストは、24年間45万人受検という実績があり、信頼できるものです。心内知性・対人知性・社会知性の３つの要素から構成されています。

心内知性とは自分と向き合う力、対人知性とは他者とのコミュニケーション力、社会知性とは組織やチームに対するリーダーシップ力と言い換えることができます。そして、ここまで私が伝えてきた、顧客心理推察力や状況察知力もＥＱの一部です。まずはこの２つの力を磨くことでＥＱを高めることができます。

また、自分の感情のコントロールについては、特に「アンガーマネジメント」が世の中に広まっています。

たとえば、怒りがこみあげてきたら6秒間待つというような対策が有名です。待てるのであれば、６秒間待つことも有効でしょう。しかし、感情は怒りだけではありません。自分の感情に日々向き合い、理解をすることが大切です。

特に怒りは二次感情です。怒りの基となる感情は寂しさだったり、妬みだったり、恐怖だったり、様々な感情が満たされずに怒りとなって現れます。ですから、怒りの基となる感情に対処していくことが必要なのです。

まずは、自分の感情を観察することから始めれば、パターンが見えてくるので対処ができるようになります。時間はかかるかもしれませんが、自分の感情と向き合う時間を取りましょう。

自身の「思考癖」に気づき、思い込みに振り回されない方法を知る

人間は、誰にでも知識や経験による思い込みがあります。思い込みがなければ生きていけないので、思い込み自体をなくすことはできません。

たとえば、「赤い実は甘くて、青い実は酸っぱい」というのは、子どもの頃からの知識や経験により得た思い込みです。必ずしもそれが正しいわけではありませんが、赤い実を食べたときに甘かったというデータベースが脳内にできるので、次に赤い実を見たときに、

これは甘いと思い込むわけです。

他にも、「〇〇大学出身の人は、〜〜」とか、「△△業界の人は、〜〜」などと、自分が出会った人から構築したデータベースから、同じ属性の人について思い込みを通して理解しようとします。

そう思うと、思い込み自体は悪くはないのですが、「誰しも思い込みがある」という前提を理解しておかなければ、同じものを見ても異なった解釈をし、議論がズレることもぶつかることもあります。

思考については、この思い込みがあることを前提とします。そして思考には、**意識的に頭脳で考える「意識的思考」と、瞬時に感知したことから考えが浮かんでしまう「自動思考」**の2つがあります。

意識的思考は、ロジカルシンキング（論理的思考）・クリティカルシンキング（健全な批判的思

自動思考には７つの思考癖がある

① **すべき思考**：〇〇すべきという自分信念で思い込む
② **白黒はっきり思考**：白か黒しかないと思い込む
③ **レッテル貼り思考**：人や物にレッテルを貼り思い込む
④ **無力思考**：自分にはどうすることもできないと思い込む
⑤ **他責思考**：自分以外の誰かのせいだと思い込む
⑥ **悲観思考**：うまくいかないことばかり起こると思い込む
⑦ **楽観思考**：うまくいくことばかり起こると思い込む

考）やクリエイティブシンキング（創造的思考）など、鍛えればどんどん磨かれていきます。

一方、自動思考は**「7つの思考の癖」**が影響しています。

思考の癖は誰にでもあるのです、上図のように思い込みを外す3つのステップを押さえておくことが大切です。

たとえば、ある人が、会議で発言を求められた⬇うまく答えられなかった⬇会議が終わった後に異動の話を聞いた、これらが全部つながっていて、この後も会社を辞めさせられる⬇もう自分のキャリアは終わりだ……と考えてしまうとします。

思い込みを外す3つのステップ

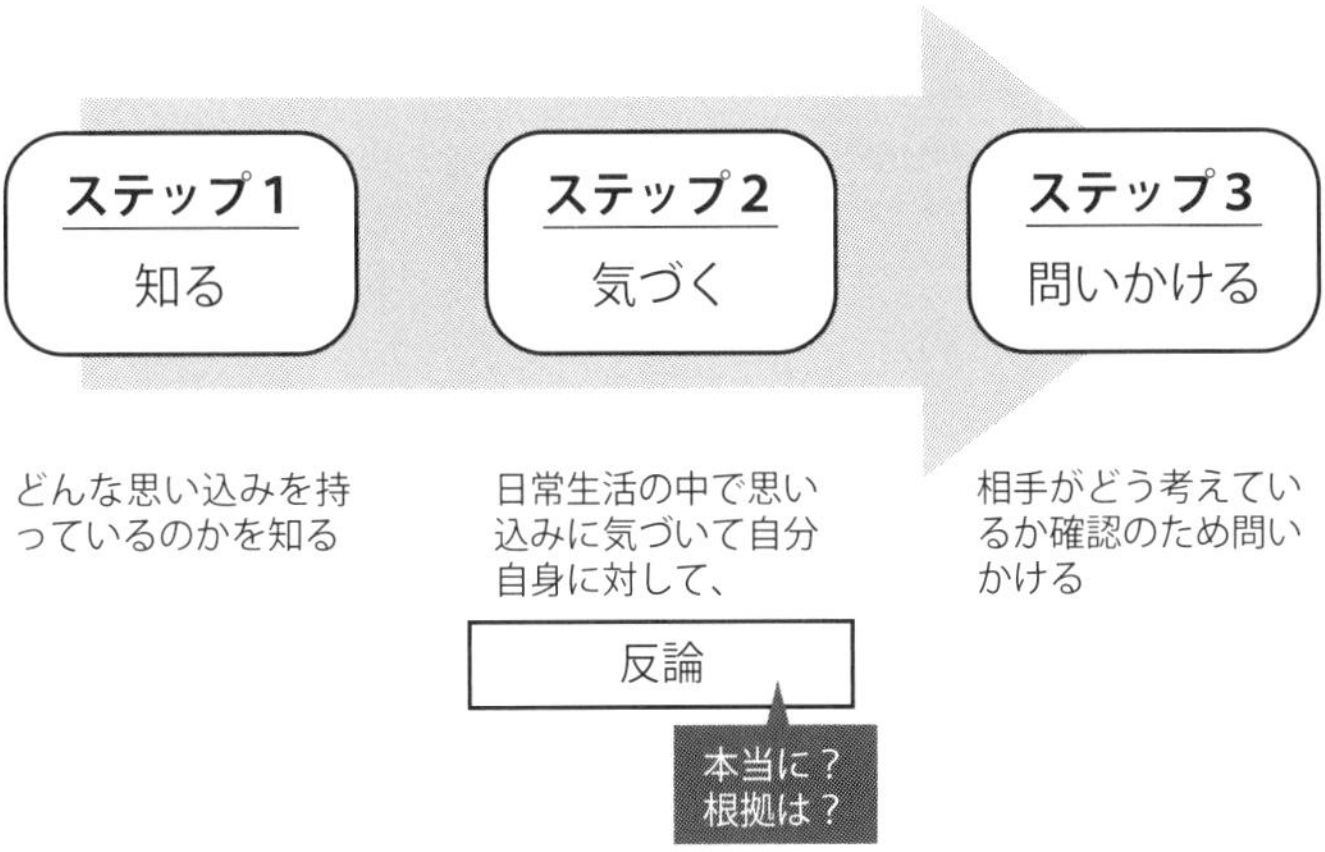
ステップ1
知る
ステップ2
気づく
ステップ3
問いかける
どんな思い込みを持っているのかを知る
日常生活の中で思い込みに気づいて自分自身に対して、
反論
本当に？
根拠は？
相手がどう考えているか確認のため問いかける

まず、「知る」で自分が202頁の図の⑥悲観思考を持っていると知っていれば、異動の話を聞いたときに、自動思考が発動した瞬間に「気づく」ことができて、「会議での発言と異動は関係ある？」と自分に反論することができます。

そして、根拠が見つからなければ、会議と異動は関係ないと落ち着くことができます。さらに、異動の話をしてくれた上司に理由や期待など落ち着いて聞くことができるでしょう。

このような、**ステップ1：知る、ステップ2：気づく、ステップ3：問いかける、を繰り返していれば、どの思い込みが出ても最悪な状況にいくことはなく、うまく対処できるようになります。**

自動思考をなくすことはできませんが、その悪影響を少しでも小さくすることができるはずです。

パソコンに向き合う時間が多い身体を健康に保つためのヒント

身体を守ることも、長く健全に働き続けるためには大切な要素です。一日パソコンの画

椅子に座るときの正しい姿勢

面を凝視し、キーボードとマウスから手を離さないような方もいると思います。

そうなると必然的に**「姿勢」**が悪くなります。どうしても、少し浅めに椅子に腰かけて、背もたれに背を預けて、その姿勢のまま作業していませんか？　そうなるとどうしても、背骨が湾曲し、腰の一部に負担がかかります。また、腹筋が弱くなり、背を伸ばして真っ直ぐ座っていられなくなります。

そうなるとさらに悪循環で、ずるずると背中と太ももの角度が90度から１２０度、１５０度とどんどん姿勢が悪くなります。ＩＴ企業で働く人には腰痛に悩む人が多くいますが、長時間同じ姿勢を取ること、座る姿勢の悪さ、利き手だけマウスを使うので、左右のゆがみも出ることなどが原因です。

姿勢は習慣ですので、改善ができます。まずは、今の姿勢を整えていきましょう。椅子に腰かける際は、背もたれとおしりの間にこぶし一つ空くくらい浅く腰掛けます。背もたれには寄りかからずに背筋を伸ばして座ります。

気が付くと肩が上がってしまうため、意識して下げて後ろに引っ張られるようにすると胸が開きます。手の重さは意外と重いため、椅子のひじ掛けや机に補助的に乗せると重さが分散されます。

モニターと目の距離は、40センチ以上離すことが理想です。足は、できれば両足が床に着くように高さ調節し、組まずに真っ直ぐ下ろします。仕事に集中すると、徐々に姿勢は崩れるので、少なくとも1時間に1度は立ち上がり、姿勢を見直します。

これだけでも、肩こりや腰の痛みは改善されます。正しい姿勢をキープするには、腹筋が必要です。最初は辛くても徐々に身体が正しい姿勢を覚えてくるので、それまでは意識的に修正してみましょう。

他にもエンジニアが長く健康に働き続けるために必要なこととしては、**「運動」**です。どうしても座ってする仕事が多くなりがちのエンジニアなので、特に下半身が弱りがちです。何か特別な運動を取り入れるよりも、毎朝一駅歩くとか、お昼休みに散歩をするなど、少し大股で歩いたり、エレベーターやエスカレーターをやめて階段を昇り降りするくらいでもいいでしょう。少し身体を動かすことを意識することです。

次に**「目」**ですが、とにかくモニターを見る時間が長くなります。ブルーライトをカットするフィルムや眼鏡もあります。そのようなアイテムもうまく活用しながら、適切な休憩を取り、目を休めるようにしましょう。

画面から目を離し遠くを見たり、目をつぶって眼球を上下左右に動かすこともお勧めです。とにかく、同じ距離のものをずっと見続けることで眼球周りの筋肉が弱るので、ピント調節機能をあえて動かすことで眼球周りの筋肉を活性化させます。

最後に**「表情」**です。目との関係があるのですが、細かいものをじっと見ていると眉間に縦じわが入ります。特に目が悪いとどうしても眉を寄せるため、縦じわが目立ちます。左右の眉の間を詰めると、アドレナリンという闘争時に必要になるホルモンが分泌されるそうです。

スポーツで力を出し切る際にアドレナリンは大切ですが、仕事をしているときにアドレナリンが出すぎても、細胞を傷つけてしまうという作用があります。

逆に、眉間を左右に開くとセロトニンという癒しホルモンが出るそうです。眉頭を指で押さえて開くと、眉間の縦じわにも、セロトニン分泌にもいいので、行き詰まっているときには、ぜひキーボードから手を離して眉間を開きましょう。

また、表情でもう一個所気になるのが、**「口角」**（唇の両端）です。何もしていないと重力に負けて口角が下がります。

口角を上げるには、「ドレミ」の「ミー」の音を出すつもりで口を横に開き、上唇を閉じます。すると、「にっ」と口角が上がる状態をつくれます。

もし、口角の上りが足りない方は、「ドレミファソラシ」の「シー」の音まで、頑張って出してみてください。ほうれい線予防にもなります。この口角を上げている状態をできればキープしながら仕事をしていると、不思議とイライラすることもなく周囲の人ともうまくいきます。

反対に、眉間にしわが寄っていて、口角が下がっている人とは一緒に仕事したくないと思うでしょう？　表情が怖いことで、周囲の人から敬遠されることもあるため、常に人から見られている意識を持ちましょう。運も縁も、仕事のチャンスも、結局は人が運んできてくれるのです。

ストレスと上手に付き合い、モチベーションに変える方法を見つける

あなたは、今現在ストレスを感じていますか？　厚生労働省の調査によれば、「現在の仕事や職業生活に関することで強い不安、悩み、ストレスになっていると感じる事柄がある労働者」の割合は、ここ数年６割弱という結果です。

この数値をご自身の職場に当てはめるといかがでしょうか？　強い不安、悩み、ストレスになっていると感じる事柄の大きさにもよりますが、仕事上、何らかのストレスを抱えていない人のほうが少ないのではないかと思います。

そもそも、ストレスとは悪なのでしょうか？

ストレス自体は刺激（ストレッサー）により、心身がゆがむ反応のことを言います。ですから、押されて凹むゴムボールのように、押されても健全な心身であれば押し返すことができますが、押され続けていると段々と押し返すことができずに凹みっぱなしになり、身体の不調やメンタル不調を発症します。

同じ刺激でも快ストレス・不快ストレスになる

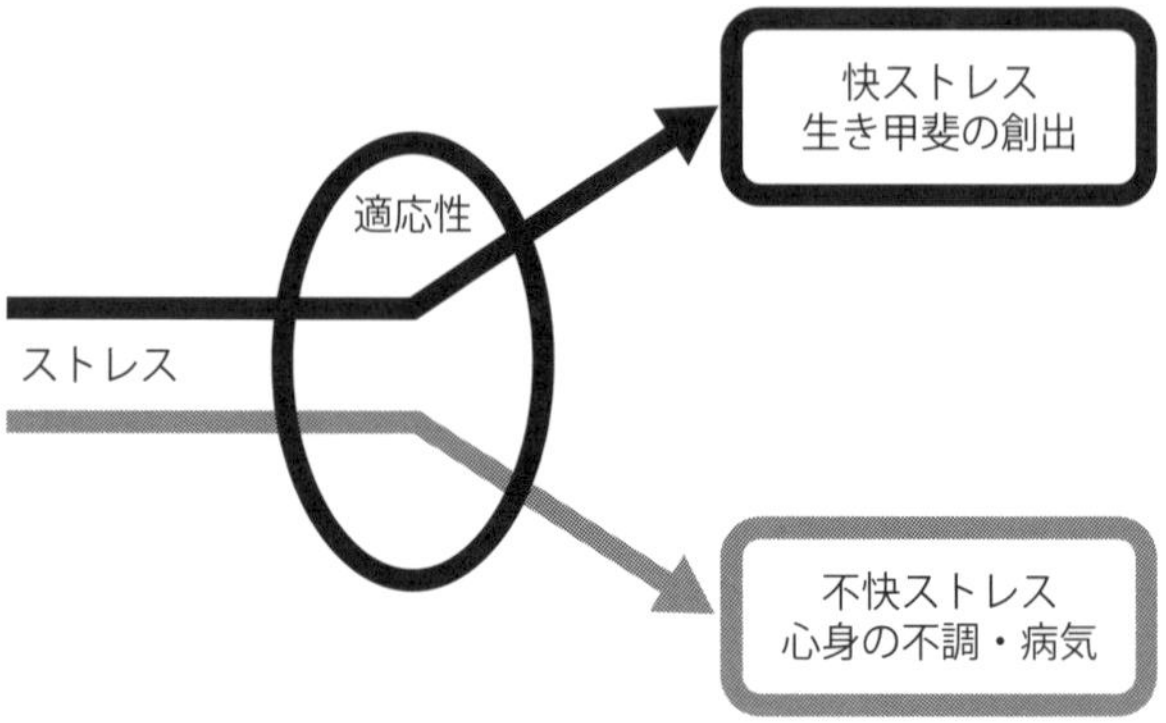

・同じ刺激であっても、人によっては快ストレス／不快ストレスになる。
・不快／快を決めるのは、個人の適応性。（状況や環境に自分を合わせる力）
・適応性は考え方やスキルによって高めていくことができる。

刺激自体にはいいも悪いもないのですが、受け取り方によって、快ストレスになったり不快ストレスになったりします。

たとえば、上司からの言葉がけで「もっと頑張れ！」と言われたAさんとBさんがいます。Aさんは、その言葉を上司からの期待だと感じ、モチベーションを高め、さらに仕事に打ち込み、期待通りの結果を出しました。

しかしBさんは、上司の言葉を今の仕事に対するダメ出しだと捉え、上司を避けるようになりました。他の人からも何か言われるたびに自分に対してのダメ出しだと捉え、仕事でもミスを連発し、ついにはメンタル不調を発症して休職に入ってしまいました。

この例は極端ですが、同じ言葉を同じ人

ストレス対処の3ステップ

ステップ1
セルフ・モニタリング
☑ 日頃からどんなストレスに弱いのかを知っておく。
☑ 今の状態を知る。

ステップ2
ストレス・マネジメント
☑ 今あるストレスをあげてみる。
☑ ストレスを評価する。
☑ ストレスを直接的に対処する。

ステップ3
ストレス・リリース
☑ ストレスを軽減するための方法を知っておく。
☑ ストレスを軽減する方法を実施する。

から受けても、その人の適応性によって、快ストレスになったり不快ストレスになったりするわけです。一般的にはストレスは不快なものとして扱われるほうが多いですが、受け取り方によっては、生き甲斐やモチベーション向上のキーになることもあります。

この適応性を上げていくには、本章でもご紹介した**「7つの思考癖」**を参考にしてください（202頁参照）。ご自身の傾向がわかれば、自動思考が出てしまったときでも、自分で対処できます。

「上司の言った〝もっと頑張れ！〟は、自分に対するダメ出しだと思う根拠はなんだろう？」

「上司の意図はなんなのだろう？」

ストレスバケツをモニタリングする

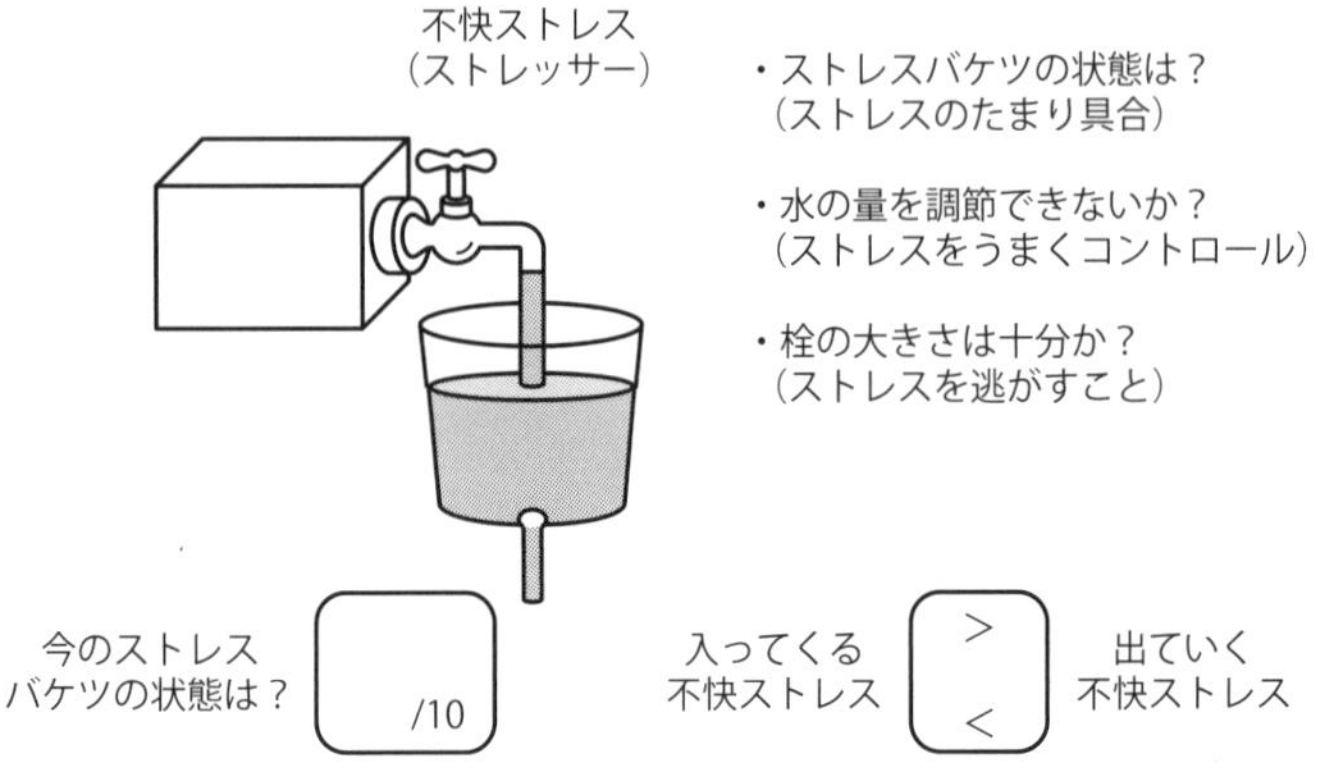
不快ストレス
（ストレッサー）
・ストレスバケツの状態は？
（ストレスのたまり具合）
・水の量を調節できないか？
（ストレスをうまくコントロール）
・栓の大きさは十分か？
（ストレスを逃がすこと）
今のストレス
バケツの状態は？
/10
入ってくる
不快ストレス
>
<
出ていく
不快ストレス

などと冷静に考えることができれば、もしかしたら、上司は自分に対して応援の意味で言ってくれたのではないか？　というように、フラットに考えられるようになります。

さらに、ストレスの対処について研修でお伝えしていることをお話しします。

ステップ1の**「セルフ・モニタリング」**からスタートします。自分自身がどういう状態なのかを自分で客観的に監視します。

たとえば、自分の心にある「ストレスバケツ」は、どれくらい不快ストレスがたまっているのか？

バケツの上には蛇口がついていて、蛇口からは不快ストレスが入ってきますが、その蛇口は自分でコントロールできるかどうか？

ストレスバケツの底には栓がついていますが、栓から不快ストレスが上手に流れているのか？

バケツがあふれてしまっていないか？

をイメージしてもらいます。

自分を客観視できるだけでも十分効果があるので、1日1度はセルフ・モニタリングしてみてください。

ステップ2は、**「ストレス・マネジメント」**です。今かかえている不快ストレスを紙に書き出し、10段階で評価し、もし可能であれば直接対処します。

もちろん、自分がコントロールできないような不快ストレスもありますが、対処できるものは取り除くためのアクションを実施します。たとえば、隣の席の人の独り言が大きい

➡耳栓をする・注意をするなど。

ステップ3は**「ストレス・リリース」**です。ストレスを軽減するための方法を知っておき、必要に応じて実施することです。

こちらは**「STRESS」という頭文字をとって、ストレスを軽減するためのヒントを**

書いておきました。

S（スポーツ）：運動

T（トラベル）：旅行（温泉・森林浴）

R（レクリエーション）：遊ぶ・休む

E（イート）：食べる

S（スピーク・シング）：おしゃべり・歌う

S（スマイル・スリープ）：笑う・寝る

これ以外にも、何かをつくる（手芸・プラモデルなど）、読書をする（内容に没頭できるもの）、映画を観る（大笑いする・大泣きする）、絶叫マシンに乗る（大声を出す）など、とにかく頭の中のモヤモヤしているストレスが、頭から出ていくような没頭できるものが有効です。

また、仕事の合間にできるものとしては、アロマの香りをかぐ、窓の外のグリーンを見る、好きな風景の写真を見る、家族の写真を見る、瞑想するなどがあります。特に香りは脳にダイレクトに効きますので、イラっときた際に好きな香りに癒されると有効です。

人間関係のイライラについては、拙著『職場の「苦手な人」を最強の味方に変える方法』（ＰＨＰ研究所）に詳しく述べているので、よろしければ参考までにご一読ください。

エンジニアがプロフェッショナルとして成功していくためにも、ストレスと上手に付き合っていくことは非常に大切なことです。真面目でコツコツ頑張る人ほど、知らず知らずに不快ストレスに心身を蝕まれる人が多いのです。まずは、ご自身のストレスバケツの管理からやってみてください。

あとがき

エンジニアとして今後のキャリアを考える

エンジニアとして生きるのか？　管理職を目指すのか？　プロジェクトリーダーを目指すのか？　職種を変えるのか？　起業するのか？　などなど、キャリアの悩みは尽きないでしょう。

少し考えてみてください。もしも今、勤めている企業から突然放り出されるようなことがあれば、あなたはどうしますか？　今持っている名刺が使えなくなったときに、あなたを助けてくれる人がどれだけいるでしょうか？

あるエンジニア出身のマネージャ職の人が、こんな話をしてくれました。自分が会社を辞めることになったとき、今まであれだけ仕事上の相談をしてくれたり、困ったときに電話一本で助けてくれたり、飲み会に誘ってくれた人たちが、誰も送別会に来てくれなかったというのです。

そのときに彼は悟りました。「**自分の周りに人が集まってくれていたのは、自分には名刺に書いてある会社名や肩書があるからだったんだ**」と。

それから転職した彼は、「とにかく人間力を高めよう。若くても年齢を重ねていても、役職が高くても低くても、人としてきちんと向き合って大切にしよう」と心に決めたそうです。

その後は、それを体現するために自分のチームを大切に、他部署とも連携をし、パートナー企業とも誠実に付き合い、顧客目線を忘れずにクライアントさんともお付き合いをされています。その結果、組織は大きくなり彼の影響力はますます強くなっています。

つまり、**大切なのは、人間力であり、本書に書かれているようなことをコツコツとやることで、肩書ではなく、その人自身の価値や魅力に人が集まってきます**。いくら技術力が高くても人間力が低ければ、結局はその人の役割以上のものは何も残りません。本当に困ったときに助けてくれる人や一緒に働こうといって条件のいい会社に引っ張ってくれたり、仕事のつながりをつくってくれたりするのは、その人の個の魅力です。

エンジニアとして、仕事ができるのは当たり前で、それにプラスアルファ、一緒に働きたい！　とか、あの人と働いていると刺激がもらえるとか、ワクワクするとか、付加価値の高い人間になることが、これからのエンジニアには絶対に必要です。

より人が人らしくあるために、エンジニアだからできること

ＡＩに取って代わられないように、人にしかできない仕事は何なのか？　たとえば人のモチベーションを高めたり、あの人がいるからこのチームで頑張るとか、将来あんなエンジニアになりたいと思わせるようなエンジニアになることは、人にしかできないことではないでしょうか？

今では、プログラミングは、ＡＩにより自動化できる時代です。**様々な仕事がＡＩに取って代わられようとしているこの時代に、この仕事は自分でなくてはならないという理由が探せなければ、雇用され続けることは難しい**でしょう。

エンプロイアビリティ、つまり雇用され続ける力ですが、どうすれば雇用され続けるのか。また、個人でお仕事をしているエンジニアであれば、どうすれば顧客から指名がきて選ばれるのか、この問いに答えていくことが大切なのです。

豊かな報酬も安定した生活も仕事の満足度も、すべては人間関係が良好でなければ手に入りません。技術力が高いだけでは、一時的に成功したとしても永続的な成功は難しいこ

とでしょう。

本書で何度もお伝えしている顧客心理推察力・状況察知力をまずは磨くことで、人が人であるために必要なスキルを高めてください。

自分も仲間も大切に。仕事は自分と組織の価値を高めるためのもの

私が日本オラクルという一部上場の立派な会社を退職して、なぜ不安定な人材育成業に踏み込んだのかという理由をお伝えします。

じつは、私は大切な仲間をメンタル不調が原因で亡くしています。今でも思い出すだけで胸が苦しくなりますが、本当に悲しく情けない出来事でした。なぜあのとき……と考えると、後悔してもしきれません。

その後、産業カウンセラー、第二種衛生管理者の資格を取得したのも、二度と同じ経験をしたくなかったためです。メンタルヘルスの正しい知識を身につけ、それを組織の中に広めるために社内研修を実施しました。

その後も、組織に留まらず日本の働く人が仕事を通して自分と組織の価値を高め、継続

的な自己成長ができるお手伝いをしていきたいと思っています。

ビジネススキルがあれば仕事に成果が出せ、コミュニケーションスキルが高ければ人間関係で悩むことも少なくなると思っています。そのために私にできることをお届けするためにも、企業研修を提供しています。

しかし、研修で接することができる企業さんは一握りです。ですから本を出版することによって、私の研修を受けることができない方々にお届けできればと思い筆を執りました。


さくら舎の代表取締役古屋信吾さんには、研修の話を聞いていただき、「おもしろい！」と言っていただき、この本を世に出すことになりました。同じくさくら舎の副部長戸塚健二さんには、本書のタイトルを決めていただき、編集をご担当いただきました。

また、本書の企画から編集までを請け負ってくださった遠藤励起さん。推薦文を書いてくださった日本オラクル副社長石積尚幸さん。本書を書くための事例をくださった元同僚の皆さん。岩崎大志さん、大野光昭さん、重石征時さん、門邦俊さん、齊藤和彦さん、佐藤高広さん、澁谷篤史さん、西野庸司さん、長谷真義さん、平山高さん、山下暢久さん、吉田隆之さん、本当にありがとうございます。

すべての敬愛すべきエンジニア、技術者、技術系社員の皆様、どうぞ健康に気を付けて、なりたい自分になるために、大切な仕事仲間・お客様のために、その技術力を思う存分活かしてください。そのために本書が一助となれば、こんなにうれしいことはありません。
どうぞ、充実した職業人生を歩んでください。応援しております。

カスタマーズ・ファースト株式会社
代表取締役　片桐あい

著者プロフィール

エンジニア育成コンサルタント。人間関係問題解決コンサルタント。産業カウンセラー。企業研修講師。カスタマーズ・ファースト株式会社代表取締役。

日本オラクル株式会社（旧サン・マイクロシステムズ株式会社）サポート・サービス部門に23年勤務。コールセンター業務を経て、現場のリーダーへ。その後、海外メンバーとプロジェクトを立ち上げ、様々な業務改善で年間3000万円のコストセーブに成功。アジアパシフィックのプロジェクトには日本代表として選出され、当時品質に問題のあった北京のコールセンターの品質改善に努める。その際に講じた解決策では物流の仕組みを変えて年間2800万円のコストを抑えた。その際、日本人初のグローバルでの表彰を受ける。また、当時困難と言われていたハードウェアの保証制度に対する外注費を年間4500万という金額をセーブすることに成功し、日本法人の社長より、社長賞を受賞し、実績を評価される。

2009年からは、社内の人材育成の担当として「キャリアディベロップメント＆トレーニング」という部署を立ち上げ、社員の育成を担当。延べ1500名余のエンジニアの育成に携わる。グローバルのプロジェクトでエンジニアのトレーニングの開発のためのメンバーに選出され、各国の教育担当とカリキュラムを開発。2013年に独立し、企業研修講師となる。年間約120件登壇し約2万5000名の育成に従事。また、人材育成コンサルティングで延べ3400名のカウンセリングでの育成にも貢献している。

著書に『究極の人間関係改善術　職場の「苦手な人」を最強の味方に変える方法』（PHP研究所）がある。

雑誌「anan」や、webメディア「ビジネス＋IT」「東洋経済オンライン」「ライフハッカー」などにも記事を寄稿。現在、「ダイヤモンドオンライン」で連載中。2020年４月に、通信教育講座「苦手な人と仕事をする技術」（株式会社日本能率協会マネジメントセンター）の開講を予定している。


ブログ・仕事は人間関係が10割！　https://ameblo.jp/aikatagiri/

一流《いちりゅう》のエンジニアは、「カタカナ」を使《つか》わない！
——飛躍《ひやく》する技術者《ぎじゅつしゃ》の８つの条件《じょうけん》

二〇二〇年四月一三日　第一刷発行

著者　片桐《かたぎり》あい

発行者　古屋信吾

発行所　株式会社さくら舎　http://www.sakurasha.com
東京都千代田区富士見一-二-一一　〒一〇二-〇〇七一
電話　営業　〇三-五二一一-六五三三　ＦＡＸ　〇三-五二一一-六四八一
編集　〇三-五二一一-六四八〇
振替　〇〇一九〇-八-四〇二〇六〇

企画・編集協力　遠藤励起

装丁　長久雅行

本文ＤＴＰ　朝日メディアインターナショナル株式会社

印刷・製本　中央精版印刷株式会社

ISBN978-4-86581-243-5